今すぐ使える **かんたん**

ぜったいデキます!

iPad

改訂4版

超入門

技術評論社

本書の使い方

- 操作を大きな画面でやさしく解説！
- 便利な操作を「ポイント！」で補足！
- 章末のQ＆Aでもっと使いこなせる！

解説されている
内容が
すぐにわかる！

基本操作編

Section

05

第2章　iPadを使えるようにしよ〜

アプリを閉じよう

▶ アプリ
▶ ホーム画面
▶ ホームボタン

アプリを利用しているときに、アプリの画面を閉じてホーム画面を表示してみましょう。なお、アプリを終了してホーム画面を表示する方法は、56ページから紹介します。

どのような操作が
できるようになるか
すぐにわかる！

アプリを閉じる

「時計」の起動中に、ホーム画面を表示します。

表示しているアプリの画面を閉じます。

ホーム画面が表示されます。

るようにしよう

- やわらかい上質な紙を使っているので、開いたら閉じにくい！
- オールカラーで操作を理解しやすい！

大きな画面と
操作のアイコンで
わかりやすい！

① アプリの画面を閉じま

押す

に、ホームボタンを押す
か、画面を下から上に
スワイプ します。

② アプリが閉じます

アプリの画面が閉じて、
ホーム画面が表示されま
す。

ポイント

アプリからメッセージなどが
ある場合は、□や▣のように
アイコンに印が付いている場
合があります。

終わり

055

基本操作編

第2

Contents

第**3**章 文字入力編

文字入力をスムーズに行おう

写真編

第6章 写真を撮影して楽しもう

第 **7** 章 音楽・映画編
音楽と映画を楽しもう

第 **8** 章 アプリ編
便利なアプリを使おう

設定編

第9章 iPadと他の機器をつなげて便利に使おう

付録 iPadを活用するための設定をしよう

ご注意：ご購入・ご利用の前に必ずお読みください

● 本書に記載された内容は、情報提供のみを目的としています。したがって、本書を用いた運用は、必ずお客様自身の責任と判断によって行ってください。これらの情報の運用の結果について、技術評論社および著者はいかなる責任も負いません。

● ソフトウェアに関する記述は、特に断りのないかぎり、2021年11月30日現在での最新情報をもとにしています。これらの情報は更新される場合があり、本書の説明とは機能内容や画面図などが異なってしまうことがあり得ます。あらかじめご了承ください。

● 本書の内容については、以下のOS上で制作・動作確認を行っています。最新の画面とは異なる場合があり、そのほかのエディションについては一部本書の解説と異なるところがあります。あらかじめご了承ください。
　iPad OS 15.1

● インターネットの情報については、URLや画面などが変更されている可能性があります。ご注意ください。

以上の注意事項をご承諾いただいた上で、本書をご利用願います。これらの注意事項をお読みいただかずに、お問い合わせいただいても、技術評論社および著者は対処しかねます。あらかじめご承知おきください。

iPadの基本を確認しよう

この章でできること

- ▶ iPadでできることを知る

- ▶ iPadを使うための準備をする

- ▶ iPadの初期設定をする

- ▶ iPadの各部名称を確認する

- ▶ タッチパネルの操作を知る

iPadではこんなことができる!

▶ iPadの基本
▶ インターネット
▶ アプリ

iPadには、さまざまなアプリ（ソフト）があらかじめ入っているので、誰でもすぐに使い始めることができます。ここでは、iPadを使うとどのようなことができるのか紹介します。

第1章　iPadの基本を確認しよう

① インターネットやメールができる

インターネットでニュースを見たり、ネットショッピングなどを楽しめたりします。メールのやり取りもできます。

インターネットを楽しむには、「Safari」のアプリを使います。

メールをやり取りするには、「メール」のアプリを使います。

② 写真や動画を楽しめる

● カメラ

iPadには、カメラが付いています。「カメラ」のアプリで、写真や動画を撮影できます。

🚩 ポイント

撮影した写真や動画は、「写真」のアプリで見ることができます。詳しくは第6章で解説します。

③ 音楽や映画を楽しめる

● iTunes Store

音楽や映画をiPadに入れて楽しめます。映画は、「iTunes Store」のアプリで購入できます。

🚩 ポイント

曲を購入したり映画をレンタルしたりする方法は第7章で解説します。

④ 予定の管理ができる

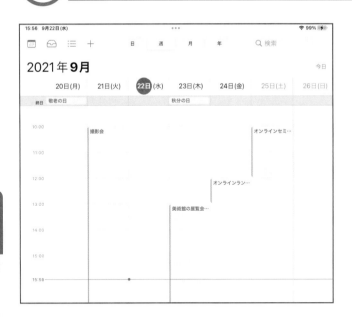

● カレンダー

「カレンダー」のアプリは、予定を管理できます。また、予定を事前に通知することもできます。

ポイント

「カレンダー」については、212ページで紹介しています。

⑤ メモを残す事ができる

● メモ

「メモ」のアプリは、気づいたことをメモしておけます。手書きでメモを残すこともできます。

ポイント

「メモ」については、208ページで紹介しています。

6 便利なアプリを使える

● App Store

iPadにアプリを追加すれば、便利な機能を使いこなせます。

ポイント

アプリの追加方法は、224ページで紹介しています。

7 電子書籍を読める

● Kindle

「Kindle」アプリを利用すると、Amazonで購入した電子書籍を読むことができます。

ポイント

Amazonで電子書籍を購入したり、電子書籍を読む方法は、第8章で紹介しています。

終わり

▶ iPadの種類
▶ Wi-Fiモデル
▶ Wi-Fi+Cellularモデル

iPadの種類を知ろう

iPadには、大きさの違いや記憶容量の違い、インターネットの接続方法の違いなどによって、いくつか種類があります。使用目的に合わせて、自分に合ったiPadを選びましょう。

① iPadの種類について

iPadには、主に、次のようなものがあります。大きな違いは、画面の大きさやデータ容量などです。本体のカラーは、「シルバー」「スペースグレイ」などがあります。なお、iPad ProやiPad Airには、ホームボタンがないものもあります。

iPad Pro （12.9インチ） （11インチ）	iPad Air （10.9インチ）	iPad （10.2インチ）	iPad mini （8.3インチ）
Wi-Fiモデル	Wi-Fiモデル	Wi-Fiモデル	Wi-Fiモデル
128GB	64GB	64GB	64GB
256GB	256GB	256GB	256GB
512GB			
1TB			
2TB			
Wi-Fi＋Cellularモデル	Wi-Fi＋Cellularモデル	Wi-Fi＋Cellularモデル	Wi-Fi＋Cellularモデル
128GB	64GB	64GB	64GB
256GB	256GB	256GB	256GB
512GB			
1TB			
2TB			

② Wi-FiモデルとWi-Fi＋Cellularモデルについて

Wi-Fiとは、無線通信の規格の一つです。**Wi-Fiモデル**は、インターネットに接続するときに、Wi-Fiネットワークを使用します。**Wi-Fi ＋ Cellularモデル**は、Wi-Fiネットワークを利用できない場合でも、携帯電話の回線を使用してインターネットに接続できますが、月々の利用料金がかかります。

● Wi-Fiモデル

・自宅 Wi-Fiに接続できる環境を整えて接続します（276ページ参照）。	・外出先 カフェや各種公共施設などが、無料で提供しているWi-Fiスポットなどに接続して利用します。

● Wi-Fi ＋ Cellularモデル

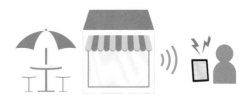

・自宅 携帯電話の回線を使用、または、Wi-Fiに接続できる環境を整えて接続します。	・外出先 携帯電話の回線を使用して接続できます。または、Wi-Fiスポットなどに接続して利用します。

終わり

iPadを使うための準備をしよう

iPadを使うために必要なものを確認しましょう。また、iPadを充電するには、USBケーブルやUSB電源アダプタを使います。iPadを充電する方法も知っておきましょう。

iPadと付属品

iPadを購入すると、次のようなものが入っています。充電に必要なUSBケーブルやUSB電源アダプタを確認しましょう。

●本体

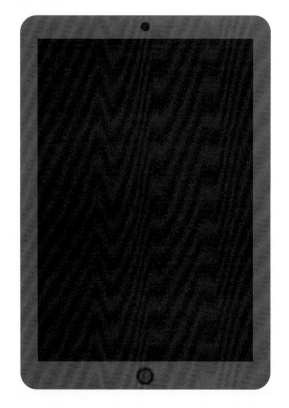

●USBケーブル

●USB電源アダプタ

① iPadを充電します

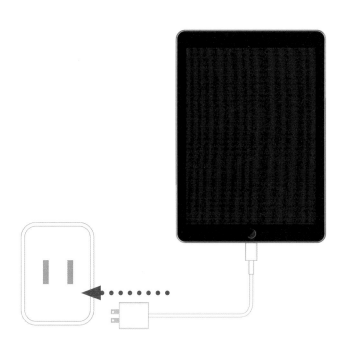

iPad本体のコネクタに
USBケーブルを接続し、
USBケーブルとUSB電
源アダプタを接続しま
す。
USB電源アダプタをコ
ンセントに差し込みま
す。コネクタの種類は、
iPadの種類によって異
なります。

ポイント

充電中は、ステータスバーの
バッテリーアイコンに充電中
のマーク が表示されます。

② バッテリーの残量を確認します

バッテリーの残量は、
iPadの電源を入れると、
ステータスバーで確認で
きます。

終わり

iPadの初期設定をしよう

▶ 初期設定
▶ キーボード
▶ Wi-Fi

iPadを使用するには、初期設定をする必要があります。表示される画面に従って、使用する地域やキーボード、ネットワークの接続方法などを指定しましょう。

iPad初期設定の流れ

画面の指示に従って初期設定を行います。なお、初期設定の途中でWi-Fiネットワークの設定を行います。ここでは、Wi-Fiを使用できる環境で設定を行います。Wi-Fiに接続するためのパスワードを確認しておきましょう（276ページ参照）。なお、設定する内容はiPadの種類によって異なる場合があります。

Wi-Fiネットワークを選択

Buffalo-	🔒 📶
Buffalo-	🔒 📶
Buffalo-	🔒 📶
Buffalo-	🔒 📶
Buffalo-	🔒 📶
HUMAX-	🔒 📶

使用できるWi-Fiネットワークが表示されるので、あらかじめパスワードを確認しておき、接続しましょう。

① 電源をオンにします

こんにちは

ホームボタンを押して開く

iPadの電源を入れます。スリープ／スリープ解除ボタン（45ページ参照）を長押しします。左の画面で、ホームボタンを押すか、画面を下から上に**スワイプ**します。

② 言語や地域を選択します

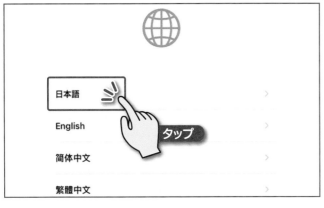

日本語

English

簡体中文

繁體中文

タップ

日本語を
タップします。

国または地域を選択

日本

その他の国と地

アイスランド

タップ

日本を
タップします。

次へ

③ 設定を開始します

ここでは、

| 手動で設定 |を

タップ 🤙 します。

④ 言語などの設定を確認します

言語やキーボードなどの
表示内容を確認します。
ここでは、

| 続ける |を

タップ 🤙 します。

⑤ Wi-Fiネットワークを選択します

Wi-Fiネットワークの
一覧が表示されます。
利用するWi-Fi接続を
タップ します。

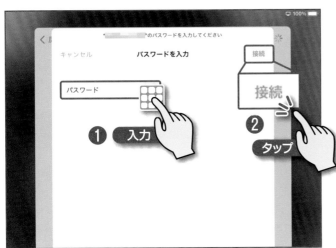

Wi-Fiのパスワードを
入力 します。
接続 を
タップ します。

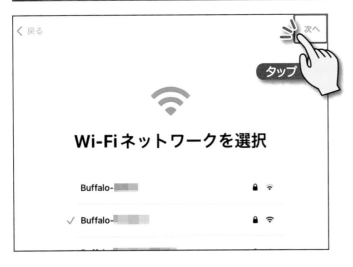

次へ を
タップ します。

次へ

⑥ 個人情報に関する内容を確認します

データとプライバシー

Appleの機能であなたの個人情報の使用が求められているときにこのアイコンが表示されます。

Appleが個人情報を収集するのは、機能を有効にする必要があるとき、サービスを保護する必要があるとき、またはユーザ体験をパーソナライズする必要があるときだけです。

Appleはプライバシーは基本的人権であると考えているため、Apple製品は個人情報の収集および使用を最小限にする、可能な限りデバイス上で処理をする、個人情報に関して透明性を提供しコントロールできるようにするという考え方に基づいて設計されています。

続ける

詳しい情報

タップ

個人情報に関する説明を確認します。ここでは、

続ける を

タップ  します。

🚩 ポイント

左上に表示される日付や時刻は、初期設定の途中で正しく表示されるようになります。

⑦ 生体認証の設定をします

Touch ID

パスコード入力または購入時のApple IDパスワード入力の代わりに指紋認証を使用できます。

続ける

Touch IDをあとで設定

タップ

Touch IDまたはFace ID（35ページ参照）の設定をします。ここでは、

Touch IDをあとで設定 を

タップ します。

🚩 ポイント

この後、確認メッセージが表示されたら 使用しない 、をタップします。

第1章 iPadの基本を確認しよう

⑧ パスコードの設定をします

パスコード（32ページ参照）を設定します。

パスコードオプション を

タップ  します。

表示される

パスコードを使用しない を

タップ します。

ポイント

この後、確認メッセージが表示されたら、 パスコードを使用しない を タップします。

⑨ iPadの設定をします

iPadの設定について選択します。

Appとデータを転送しない を

タップ します。

次へ

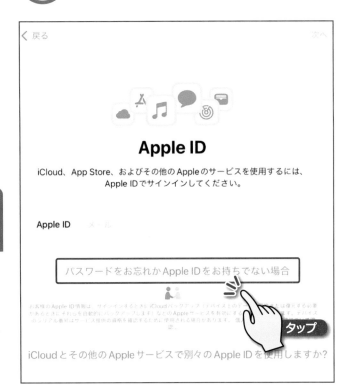

Apple ID（280ページ参照）の設定を行います。ここでは

パスワードをお忘れかApple IDをお持ちでない場合 を

タップします。

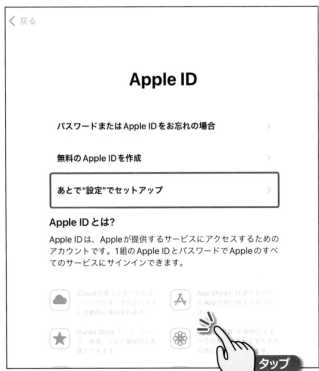

あとで"設定"でセットアップ を

タップ して画面を進めます。

ポイント

この後、確認画面が表示されたら、 使用しない をタップします。

⑪ 利用規約を確認します

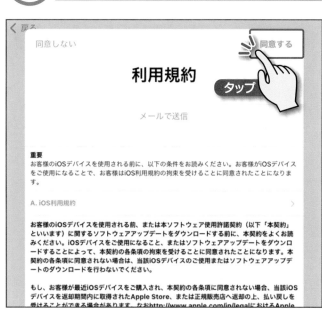

利用規約の内容を確認し、

| 同意する | を

タップします。

⑫ アップデートについて設定します

iPadを
常に最新の状態に

iOSを自動的にアップデートするようにしておくと最新の機能、セキュリティ、改善を常に入手できます。

アップデートがインストールされる前に通知が送られます。"設定"でその他のオプションを選択できます。

続ける

タップ

iPadのアップデート方法について指定します。ここでは、

| 続ける | を

タップ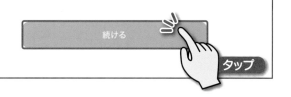して画面を進めています。

13 位置情報について設定します

位置情報サービス

"位置情報サービス"により、"マップ"などのAppや"探す"などのサービスが、ユーザのおおよその場所を示すデータを収集して利用できるようになります。

位置情報サービスとプライバシーについて...

位置情報サービスをオンにする

位置情報サービスをオフにする

タップ

位置情報サービスを利用するか指定します。ここでは、

位置情報サービスをオンにする を

タップ して画面を進めています。

14 音声入力について設定します

Siri

Siriは話しかけるだけでやりたいことを手伝ってくれます。また、Appやキーボードを使用している際には、話しかけなくてもSiriが提案を出してくれたりします。

Siriを使用するには、ホームボタンを押したままにするか、iPadが電源に接続されているときに"Hey Siri"と言います。

AppleはSiriに対する操作の発音表記を保存して、これらの発音表記の一部をレビューする場合があります。Siriを使用すると、リクエストを処理するために、音声入力の内容、"Hey Siri"の設定情報、連絡先情報、位置情報などもAppleに送信されます。データはお使いのApple IDには関連付けられません。Siriについて...

続ける

あとで"設定"でセットアップ

タップ

音声入力について情報を共有するか指定します。ここでは、

あとで"設定"でセットアップ

をタップ します。

⑮ 画面を見る時間について設定します

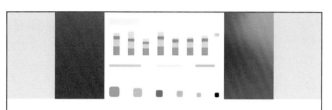

スクリーンタイム

画面を見ている時間についての週間レポートを見て、管理対象にするAppの制限時間を設定できます。お子様のデバイスでスクリーンタイムを使用してペアレンタルコントロールを設定することもできます。

続ける

あとで"設定"でセットアップ

タップ

画面を見る時間を管理するかを指定します。
ここでは、

 を

タップして画面を
進めています。

⑯ 情報を送信するか設定します

< 戻る

iPad解析

iPadの使用状況データの解析を可能にすることで、Appleの製品およびサービスの向上にご協力いただけます。これはあとから"設定"で変更できます。

すべての解析はディファレンシャルプライバシーのようなプライバシー保護技術を使用して行われ、あなた個人またはお使いのアカウントに関連づけられることはありません。

デバイス解析とプライバシーについて...

Appleと共有

共有しない

タップ

App解析情報を送信するかを指定します。
ここでは、

 を

タップして画面を
進めています。

次へ

⑰ 情報を送信するか設定します

App解析情報を送信するかを指定します。
ここでは、

| Appデベロッパと共有 |

をタップ🖐️して画面を進めています。

⑱ 表示モードを設定します

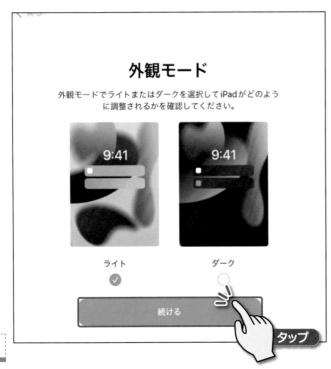

iPadの表示モードを指定します。ここでは、

| 続ける |

をタップ🖐️して画面を進めています。

🚩ポイント

外観モードのライトは、画面が明るい見た目になります。ダークモードは、暗い見た目になります。

19 初期設定を終了します

ようこそiPadへ

さあ、はじめよう!

さあ、はじめよう! を

タップ します。

20 初期設定が終了しました

初期設定が終了します。
iPadを使う準備ができ
ました。

終わり

iPadにパスコードを設定しよう

▶ パスコード
▶ 指紋認証
▶ ロック解除

iPadのロックを解除するためのパスコードを設定しましょう。パスコードを設定することで、iPadを誰かに勝手に使用されてしまう心配がなくなります。

① パスコードを設定します

67ページの方法で「設定」画面を表示します。

 Touch IDとパスコード を

タップ 🖐 します。

パスコードをオンにする を

タップ 🖐 します。

iPadの機種によっては、「Face IDとパスコード」や「パスコード」などと表示されている場合があります。

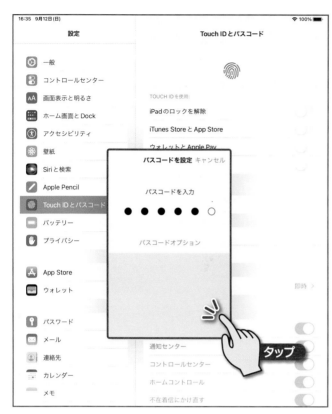

6桁の数字を順番に

タップ します。

ポイント

数字が4桁になっている場合は、「パスコードオプション」をタップすると、数字を6桁に変更することができます。4桁のまま設定することも可能です。

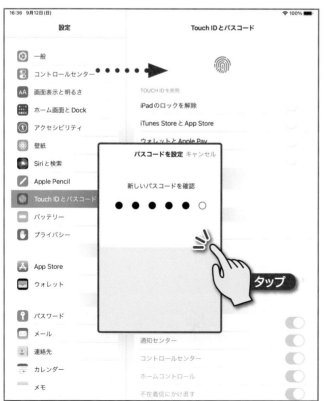

再度、同じ6桁の数字を順番に

タップ します。

次へ

② パスコードが設定されました

パスコードが設定されました。

③ パスコードを入力してロックを解除します

しばらくiPadを使用しないと、ロックがかかります。ホームボタンを押すか、画面を下から上にスワイプします。

④ ロックが解除されます

パスコードを入力
○ ○ ○ ○ ○ ○

正しいパスコードを

タップ すると、

ロックが解除され、iPad
を使用できるようになり
ます。

🚩 ポイント

パスコードを忘れるとiPadの
ロックが解除できなくなってし
まいます。必ず忘れないよう
にしましょう。

終わり

💡 コラム　指紋認証や顔認証でロックを解除するには

iPadの機種によっては、画面に顔を向き合わせるだけでロックを解除で
きる「Face ID機能」、スリープ/スリープ解除ボタンやホームボタンに
指を置くだけでロックを解除できる「Touch ID機能」を利用できます。
利用するには、自分の顔や指紋をiPadに登録する必要があります。
34ページの画面で、顔認証の場合は「Face IDをセットアップ」、指紋認
証の場合は「指紋を追加」をタップします。
続いて、画面の指示に従って登録します。顔認証の場合は、表示される
枠の中に顔を合わせます。指紋認証の場合は、指紋を登録する指をスリー
プ/スリープ解除ボタンやホームボタンに置いたり離したりします。登
録を完了したら、「Face IDを使用」や「Touch IDを使用」の「iPadのロッ
クを解除」がオンになっていることを確認します。
設定を終えると、次回以降iPadのロックを解除するとき、顔認証や指紋
認証を利用できます。

▶ ホームボタン
▶ マルチタッチディスプレイ
▶ スイッチ

iPadの各部名称を覚えよう

iPadの各部の名称や役割を知りましょう。電源を入れるスイッチやカメラの場所などを確認します。なお、iPadの種類によって、画面各部の位置やコネクタの種類などは異なります。

第1章 iPadの基本を確認しよう

① iPadの各部名称（前面）

iPadには、前面と背面の両方にカメラがあります。前面のカメラは、自分を撮影するときなどに使用します。

❶FaceTime HDカメラ
ビデオ電話などで使用します。

❷マルチタッチディスプレイ
画面は、指で操作できます。

❸ホームボタン
ホーム画面を表示したりするときに使います。

❹音量ボタン
音量の大小を変更できます。また、音量ボタンでカメラのシャッターを切ることもできます。

② iPadの各部名称（背面）

❶マイク
音声を入力するときに使います。

❷スリープ／スリープ解除ボタン
スリープ状態にしたり、スリープ状態を解除したりするときに使います。

❸ヘッドフォンジャック
イヤホンを接続します。

❹カメラ
写真や動画を撮るときに使います。

❺nano-SIMトレイ
（Wi-Fi + Cellularモデルのみ）SIMカードをセットします。

❻スピーカー
アラームや音楽などの音が出ます。

❼コネクタ
iPadを充電したり、iPadをパソコンと接続するときに使います。

 **コラム** iPadの種類による違い

iPadには、いくつかの種類があります（16ページ参照）。また、種類ごとにWi-Fiモデル、Wi-Fi+Cellularモデルのように2つのモデルがあります。これらの違いによって、ボタンの有無や部品の位置、コネクタの種類など細かな違いがあります。なお、種類により、カメラを利用した顔認証機能、スリープ／スリープ解除ボタンやホームボタンを利用した指紋認証機能など、利用できるiPadの機能が異なる場合があります。また、iPadの種類によって、対応するApple Pencilは異なります（262ページ参照）。

タッチパネルの操作をしよう

▶ タッチパネル
▶ タップ
▶ ドラッグ

iPadを操作するには、iPadの画面に表示されているアイコンを指で触れたり、指でなぞったりして操作します。さまざまな操作方法について知りましょう。

画面に触れて操作する

iPadを操作するには、次のような方法などがあります。名称と操作の内容を知りましょう。

● **タップ**
画面を指先で軽く触ります。

● **スワイプ**
画面を指先でなぞるようにすばやく動かします。

● **ダブルタップ**
画面を指先で2回連続して触ります。

● **フリック**
画面を指先で軽く触り、指先を払うように動かします。

● **ドラッグ**
画面を指先でなぞるように動かします。

● **長押し**
画面を指先で触り、そのまま指を置いたままにします。

① タップ

画面を指先で、軽く触ります。
項目を選択したり、アプリを起動したりするときに使います。

② ダブルタップ

画面を指先でトントンと2回連続して触ります。
写真や地図を拡大表示する場合などに使います。

ポイント

拡大したものを縮小するには、2本指で1回タップする方法があります。

次へ

③ ドラッグ

画面を指先でなぞるように動かします。

表示中の画面をずらして見たりするときに使います。

④ スワイプ

画面を指先でなぞるようにすばやく動かします。

表示中の画面をずらしたり、コントロールセンター（64ページ参照）を表示するときに使います。

また、ロック画面からホーム画面へ移動するときに使用します。

5 フリック

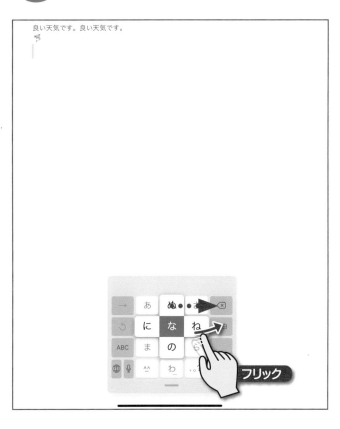

画面を指先で軽く触り、指先を払うように動かします。

フリック入力（96ページ参照）をするときなどに使います。

6 長押し

画面を指先で触り、そのまま長く置きます。

アイコンを移動したり、文字入力中にカーソルを移動したりするときに使います。

次へ

⑦ ピンチ

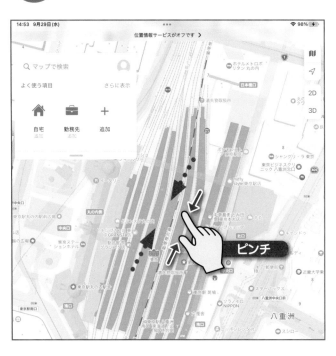

2本の指を開いて画面を触り、つまむように指を近づけます。
写真や地図を縮小表示するときなどに使います。

⑧ スプレッド

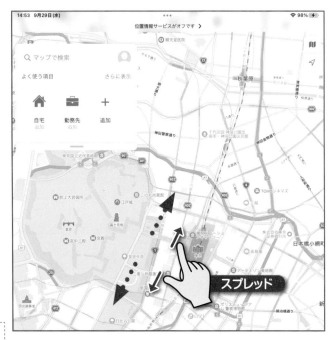

2本の指を閉じて画面を触り、指を開きます。
写真や地図を拡大表示するときなどに使います。

終わり

iPadを使えるようにしよう

この章でできること

- ▶ iPadを起動する

- ▶ アプリを開いたり閉じたりする

- ▶ いろいろなメニューを使用する

- ▶ アプリを切り替えて表示する

- ▶ 文字の大きさを変更する

iPadの電源を
オン・オフにしよう

iPadの電源をオン・オフにする方法を知りましょう。また、iPadをしばらく使わないとスリープ状態になります。スリープ状態を解除する方法も紹介します。

▶ 電源
▶ スリープ/スリープ解除ボタン
▶ ロック

iPadを使う準備をする

iPadを使う準備をしましょう。スリープ/スリープ解除ボタンやホームボタンを使います。

電源をオンにし、ロックを解除します。

iPadを使う準備ができます。

1 電源をオンにします

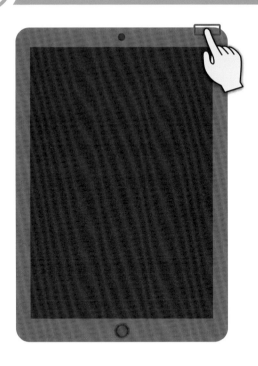

十分に充電した状態で、スリープ／スリープ解除ボタンを長く押します。Appleのリンゴのマークが表示されるまで押したままにします。

2 電源がオンになりました

押す

しばらく待つと、電源が入ります。左の画面が表示された場合は、ホームボタンを押すか、画面を下から上にスワイプして、ホーム画面を表示します。

次へ

③ 電源をオフにする準備をします

スリープ／スリープ解除ボタン、または、スリープ／スリープ解除ボタンと音量ボタンを同時に長く押します。
画面に「スライドで電源オフ」と表示されるまで、押したままにします。

④ 電源をオフにします

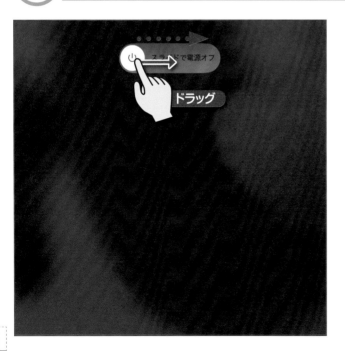

 を

ドラッグします。
電源がオフになります。

ポイント

iPadの使用後、しばらくするとスリープ状態（48ページ参照）になるので、毎回電源をオフにする必要はありません。長期間使用しない場合などは、電源をオフにしましょう。

⑤ スリープ状態を解除します

iPadをしばらく使用しないと、スリープ状態（48ページ参照）になり画面が真っ暗になります。
スリープ状態を解除するには、スリープ／スリープ解除ボタン、または、ホームボタンを押します。

押す

ホームボタンを押すか、画面を下から上に

スワイプ して
ロックを解除します。

▶ ポイント

画面が表示されない場合は、iPadが充電されていない可能性があります。19ページの方法でiPadを充電しましょう。

終わり

iPadを
スリープ状態にしよう

▶ スリープ／スリープ解除ボタン
▶ スリープ状態
▶ ロック

iPadをしばらく使用しないときは、省電力モードのスリープ状態にしておきましょう。バッテリーの残量が無駄に減ってしまうのを防げます。

第2章
iPadを使えるようにしよう

 ## スリープ状態にする

iPadをスリープ状態にします。スリープ状態では画面が真っ暗になります。

iPadをスリープ状態にします。

スリープ状態になりました。

① スリープ状態にします

スリープ状態にするには、「スリープ/スリープ解除ボタン」を押します。

▶ ポイント

iPadをしばらく使用しないと、自動的にスリープ状態になります。

② スリープ状態になりました

画面が真っ暗になります。スリープ状態になりました。

▶ ポイント

スリープ状態を解除する方法は、47ページで紹介しています。

終わり

基本操作編

Section

03

ホーム画面
ホームボタン
アイコン

第2章　iPadを使えるようにしよう

ホーム画面の見方を知ろう

ホーム画面とは、ホームボタンを押すと表示される画面です。さまざまな操作の基本になる画面となります。いろいろなアプリを起動するアイコンが並んでいます。

ホーム画面について

アイコンが増えるとホーム画面が追加されます。ホーム画面の枚数は、画面下部に表示されます。

ホーム画面
の枚数

下部には、よく使うアプリが並んだDockがあります。

画面上部には、ステータスバーが表示されます。

第2章　iPadを使えるようにしよう

① ホーム画面を切り替えます

たくさんのアプリをインストールすると、ホーム画面の数が増えます。
画面の数は、画面下に表示されています。
画面を切り替えるには、画面を右から左に
スワイプします。

② ホーム画面が切り替わります

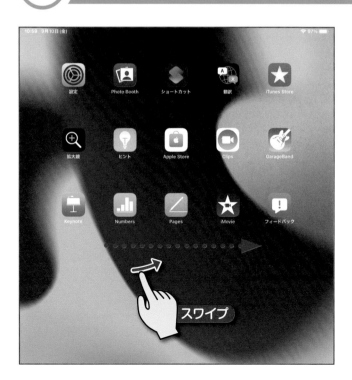

ホーム画面が切り替わりました。画面を左から右に
スワイプすると
元の画面に戻ります。

ポイント

左端のホーム画面で、画面を左から右にスワイプすると、「今日の表示」画面が表示されます（60ページ参照）。

終わり

アプリを起動しよう

▶ アプリ
▶ ホーム画面
▶ 時計

iPadには、あらかじめ多くのアプリが入っています。ホーム画面からアプリを起動してみましょう。画面上のアイコンをタップするだけで起動することができます。

 ## アプリを起動する

ここでは、「時計」のアプリを起動します。ホーム画面のアプリのアイコンをタップします。

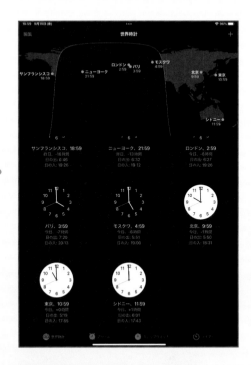

起動したいアプリのアイコンをタップします。

アプリが起動しました。

① アプリを起動します

ホームボタンを押すか、
画面を下から上に

スワイプ して

ホーム画面を表示します。

「時計」のアイコン を

タップ します。

② アプリが起動しました

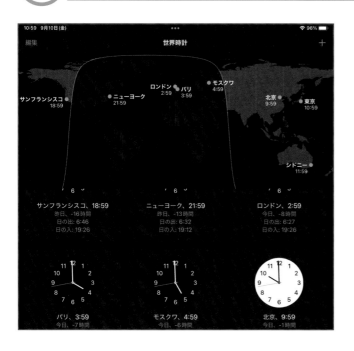

「時計」が起動しました。

アプリの閉じ方については、
54ページで解説します。

終わり

アプリを閉じよう

▶ アプリ
▶ ホーム画面
▶ ホームボタン

アプリを利用しているときに、アプリの画面を閉じてホーム画面を表示してみましょう。なお、アプリを終了してホーム画面を表示する方法は、56ページから紹介します。

アプリを閉じる

「時計」の起動中に、ホーム画面を表示します。

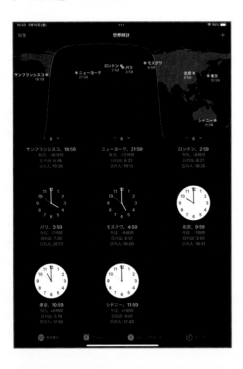 

表示しているアプリの画面を閉じます。

ホーム画面が表示されます。

① アプリの画面を閉じます

アプリを開いているとき
に、ホームボタンを押す
か、画面を下から上に
スワイプ します。

② アプリが閉じます

アプリの画面が閉じて、
ホーム画面が表示されま
す。

ポイント

アプリからメッセージなどが
ある場合は、■や■のように
アイコンに印が付いている場
合があります。

終わり

アプリを終了しよう

アプリの画面を閉じただけでは、アプリはまだバックグラウンドで起動しています。アプリを完全に終了させるには、開いているアプリの一覧を表示して、終了させます。

アプリを終了する

「時計」アプリや「メモ」アプリが起動している状態で、「メモ」のアプリを終了します。

Appスイッチャーを表示し、開いているアプリを表示します。

「メモ」のアプリを終了します。

① Appスイッチャーを表示します

2回押す

ホームボタンをトントンと2回連続して押すか、画面を下から上に

スワイプ して、画面中央に指を置いてから離します。

② アプリを終了します

スワイプ

画面を左または右に

スワイプ して、終了するアプリを表示します。

ドラッグ

終了するアプリを上に

ドラッグ すると、アプリが終了します。アプリ以外のところを

タップ して戻ります。

終わり

アプリを切り替えよう

複数のアプリを起動しているとき、目的のアプリの画面を表示するには、アプリを切り替えます。Appスイッチャーを表示して操作します。

 ## アプリを切り替える

Appスイッチャーを表示して、切り替えるアプリを選択します。ここでは、「メモ」アプリに切り替えます。

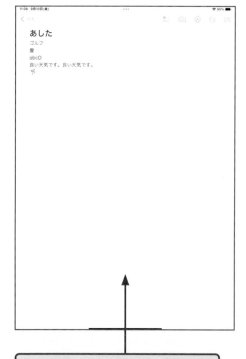

Appスイッチャーで、切り替えたいアプリを選びます。

「メモ」が表示されました。

① Appスイッチャーを表示します

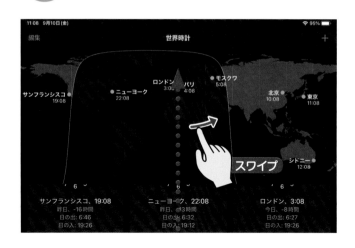

ホームボタンをトントンと2回連続して押すか、画面を下から上に

スワイプして、画面中央に指を置いてから離します。

② 切り替えるアプリを表示します

Appスイッチャーが表示されます。
画面を左または右に

スワイプして、利用したいアプリを表示します。

アプリの画面を

タップします。
アプリが切り替わります。

終わり

今日の表示画面に切り替えよう

iPad使用中に利用すると便利な画面の表示方法を知っておきましょう。ここでは、「今日の表示」画面を紹介します。今日の天気やバッテリー情報などを確認できます。

ウィジェットについて

「今日の表示」画面やホーム画面には、アプリからの最新の情報などが表示されるウィジェットというアイコンなどが並んでいます。ウィジェットをタップして詳細の内容を確認したりできます。

ホーム画面から、「今日の表示」画面を表示します。

今日の天気やiPadの使用状況などを確認できます。

① 「今日の表示」を表示します

左端のホーム画面を表示します。中央付近のアイコンがないところを右に**スワイプ**します。

ウィジェットが表示されます。ここでは、表示されているカレンダーを**タップ**します。

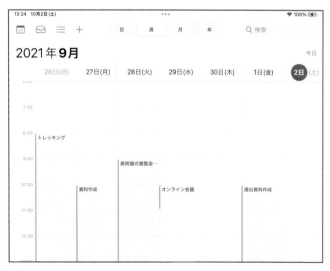

「カレンダー」が表示されます。
ホームボタンを押すか、画面を下から上に**スワイプ**して、元の画面に戻ります。

終わり

- ▶ 通知センター
- ▶ 今日の表示
- ▶ ホーム画面

通知画面を表示しよう

iPad使用中には、さまざまなアプリからのお知らせが表示される場合があります。これらのメッセージを確認する通知センターの画面を表示してみましょう。

通知センターについて

通知センターに切り替えると、さまざまなアプリからのお知らせを確認できます。お知らせの項目をタップして詳細の内容を確認したりできます。

ホーム画面から、通知センターを表示します。

アプリからのお知らせを確認できます。

① 通知センターを表示します

ホーム画面を表示します。画面上部の中央付近から下方向に

スワイプ 🖐 します。

通知センターが表示されます。
ここでは、表示されている予定を

タップ 🖐 します。

「カレンダー」が表示されます。
ホームボタンを押すか、画面を下から上に

スワイプ 🖐 して
ホーム画面に戻ります。

🚩 **ポイント**

通知センターの画面で画面の左端から右に向かってスワイプすると「今日の表示」画面に切り替えられます。

終わり

コントロール画面の見方を知ろう

- ▶ コントロールセンター
- ▶ ホーム画面
- ▶ 設定

iPad使用中に、よく使う設定をかんたんに切り替えるには、コントロールセンターを利用すると便利です。コントロールセンターの表示方法を知っておきましょう。

コントロールセンターの表示

コントロールセンターを表示すると、よく使うさまざまな設定項目などが表示されます。「設定」画面を表示しなくても手早く設定を切り替えられます。

画面の右上端から下にスワイプします。

コントロールセンターが表示されます。

コラム　コントロールセンターについて

コントロールセンターでは、下記のような設定ができます。

❶機内モードのオン／オフを切り替えます。

❷AirDrop（近くのiPadやiPhoneなどの機器とデータをやり取りしたりする機能）
のオン／オフを切り替えます。

❸Wi-Fiのオン／オフを切り替えます（279ページ参照）。

❹Bluetooth（無線通信の規格のひとつ）のオン／オフを切り替えます。

❺音楽を再生したり停止したりします。

❻画面の向きが変わらないようにロックします。

❼AirPlayミラーリング（iPadの画面をテレビに映したりする機能）のオン／オフ
を切り替えます。

❽画面の明るさを調整します（70ページ参照）。

❾音量を調整します。

❿仕事中やおやすみ中などのモードのオン／オフを切り替えます。状況によって
指定したアプリからの通知を許可するかなどの設定を切り替えられます。

⓫通知音などを消します。

⓬タイマーを設定します。

⓭「メモ」を起動します。

⓮「カメラ」を起動します。

⓯カメラでQRコードをスキャンします。

第2章 iPadを使えるようにしよう

文字を大きくして読みやすくしよう

▶ 「設定」画面
▶ 文字の大きさ
▶ 太字

iPadの画面の文字の大きさは、「設定」画面で選択できます。画面の文字が読みづらい場合などは、設定を変更して使いましょう。文字を太字にすることもできます。

第2章 iPadを使えるようにしよう

文字の大きさを変更する

文字の大きさを変更します。ここでは、文字を大きくします。

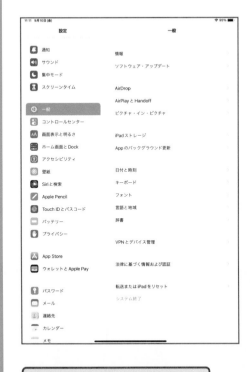

「設定」画面を開きます。

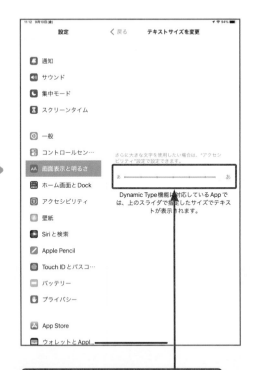

文字の大きさを変更し、文字を大きく表示します。

① 「設定」画面を開きます

ホーム画面で、「設定」の
アイコン  を
タップ します。

② 「設定」画面が開きます

設定	一般	
🔔 通知		
🔊 サウンド	情報	>
🌙 集中モード	ソフトウェア・アップデート	>
⏳ スクリーンタイム		
	AirDrop	
	AirPlay と Handoff	
⚙️ 一般	ピクチャ・イン・ピクチャ	
🎛 コントロールセンター		
AA 画面表示と明るさ	iPad ストレージ	>
⬚ ホーム画面と Dock	App のバックグラウンド更新	>
♿ アクセシビリティ		
🌼 壁紙	日付と時刻	
🔍 Siri と検索	キーボード	
✏️ Apple Pencil	フォント	>
👆 Touch ID とパスコード	言語と地域	
🔋 バッテリー	辞書	>
✋ プライバシー		
	VPN とデバイス管理	
🅰 App Store		
💳 ウォレットと Apple Pay	法律に基づく情報および認証	>
🔑 パスワード	転送または iPad をリセット	>
✉️ メール	システム終了	

「設定」画面が開きます。

🚩 ポイント

「設定」画面では、iPad本体
や、アプリなどのさまざまな
設定を行えます。

次へ

③ 項目を選択します

「設定」画面の左側から設定項目を選びます。
ここでは、

 画面表示と明るさ を

タップ 🤙 します。

ポイント

「設定」画面では、左側の欄で設定をする項目やアプリをタップし、右側で設定を行います。

④ 設定内容を選択します

画面の右側の内容が切り替わります。

テキストサイズを変更 を

タップ 🤙 します。

ポイント

文字を太くする をタップして ◯ にすると、文字を太字にできます。

第2章 iPadを使えるようにしよう

⑤ 文字の大きさを変更します

 を

ドラッグ  します。

ポイント

ここでは、文字を大きくするため、右方向にドラッグします。

⑥ 文字の大きさが変わります

画面に表示される文字の大きさが変わりました。57ページの方法で画面を閉じて終了します。

ポイント

この操作によって文字が大きく表示されるのは、「メール」（130ページ参照）などです。

終わり

Q 画面の明るさを変更したい

A 画面の明るさは、コントロールセンターから変更できます。

コントロールセンター（64ページ参照）を表示して、明るさを調整しましょう。
また、「設定」画面でも調整できます。「設定」画面の表示方法は、67ページを
参照してください。

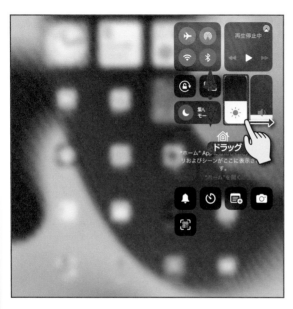

1

64ページの方法でコントロールセ
ンターを表示します。

■を上下に**ドラッグ**すると、
明るさを調整できます。

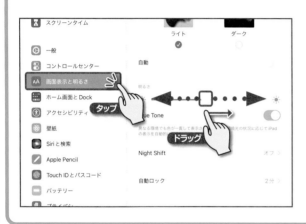

2

「設定」画面で、 AA 画面表示と明るさ

を**タップ**し、

の■を**ドラッグ**すること
でも、明るさを調整できます。

便利なウィジェットを追加したい

 「今日の表示」画面やホーム画面にウィジェットを追加できます。

「今日の表示」画面やホーム画面を編集し、よく使うアプリのウィジェットを表示すれば、見たい情報に素早くアクセスできて便利です。

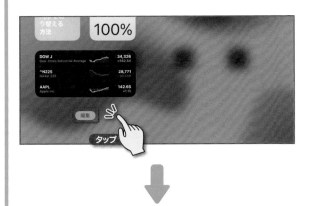

1

「今日の表示」画面を表示し、画面下の 編集 を**タップ**します。

ホーム画面に追加する場合は、245ページの方法で、ホーム画面を編集する画面に切り替えます。

2

　+　を**タップ**すると、ウィジェットを追加する画面が表示されます。続いて表示される画面でウィジェットの種類や表示方法などを選択します。

右上の 完了 を

タップします。

Q 音声入力でiPadを操作したい

A 音声で操作するには、Siriというアシスタント役を介して行います。

「音声で操作するには、Siriというアシスタント役を介して行います。」

音声を認識するSiriというアシスタント役に向かって、「近くのラーメン屋さんを探して」などと話しかけると、お店の情報を表示してくれます。「元気ですか?」「今日は暑い?」など簡単な日常会話にも答えてくれます。

なお、Siriを使うには、67ページの方法で「設定」画面を表示し、「Siriと検索」をタップして、右の画面で「トップボタンを押してSiriを使用」または、「ホームボタンを押してSiriを使用」をタップしてオンにしておきます。

1

スリープ／スリープ解除ボタン、または、ホームボタンを長押しします。ボタンから指を離して話しかけます。

2

たとえば、「明日の沖縄の天気は？」などと尋ねると、天気予報を表示してくれます。「今日の予定は？」と言うと、「カレンダー」(212ページ参照)の予定を示してくれます。画面を下から上にスワイプすると、ホーム画面に戻ります。

文字入力をスムーズに行おう

3

この章でできること

▶ ひらがなやカタカナを入力する

▶ 漢字を入力する

▶ アルファベットを入力する

▶ 数字や記号を入力する

▶ 文字をコピーして貼り付ける

キーボードの種類を知ろう

▶ キーボード
▶ 日本語
▶ 絵文字

iPadで文字を入力するには、文字を入力するときに自動的に表示されるキーボードの画面を使います。入力する文字の種類や入力方法によって、複数のキーボードを使い分けます。

① 日本語を入力するキーボード

●「日本語ローマ字」のキーボード

日本語を入力するキーボードは2種類あります。「日本語かな」キーボードを使う方法は、94ページを参照してください。

●「日本語かな」のキーボード

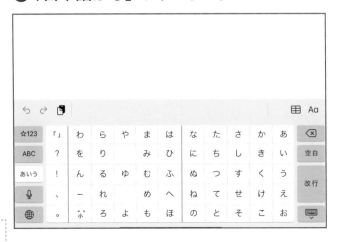

ポイント

この章では、「メモ」アプリを使って文字入力の方法を紹介します。具体的な入力の操作は、76ページから紹介します。

② 英語を入力するキーボード

アルファベットを入力するには、キーボードを切り替えて使います。

③ 絵文字を入力するキーボード

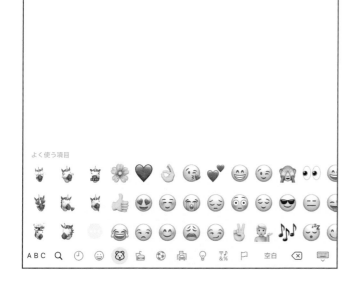

絵文字を入力するには、「絵文字」のキーボードを使います。

ポイント

キーボードを切り替えるには、キーボードの🌐や☺をタップします。または、🌐や☺を長押しして利用するキーボードをタップします。

終わり

Section 02

ひらがな・カタカナを
入力しよう

▶ キーボード
▶ 日本語
▶ ひらがな

日本語を入力するときは、「ローマ字入力」または、「かな入力」の方法を使います。本書では「ローマ字入力」を紹介します。「かな入力」は、94ページを参照してください。

「メモ」アプリで入力の練習をする

ここでは、「メモ」アプリを利用して入力の練習をします。「ローマ字入力」の方法を理解しましょう。

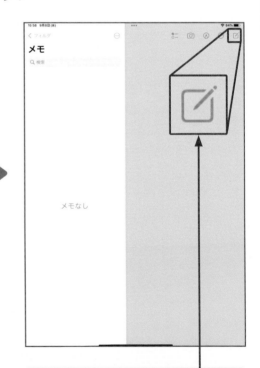

「メモ」のアイコンをタップします。

「メモ」が起動します。右上のアイコンをタップします。

① ひらがなを入力します

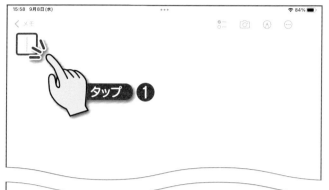

メモの中を**タップ**
します。
「日本語ローマ字」の
キーボードが表示されま
す。

| @ |
| a | を

タップ します。

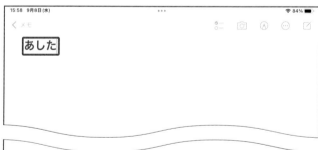

「あ」と表示されます。

つづけて、| s | | i |

| t | | a | とキーを

タップ します。

| 確定 | を

タップ します。

次へ

② ひらがなが入力できました

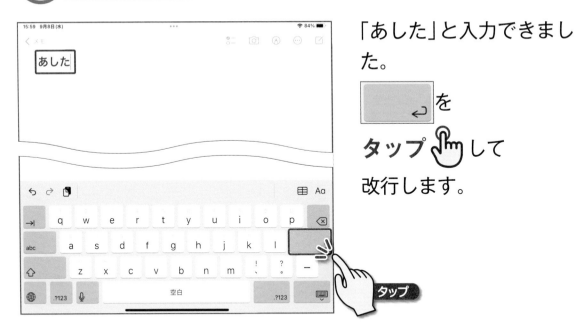

「あした」と入力できました。

[　　　　　⏎　]を

タップ🖑して

改行します。

③ カタカナを入力します

つづけて、ローマ字で、「ごるふ」と入力します。

④ カタカナに変換します

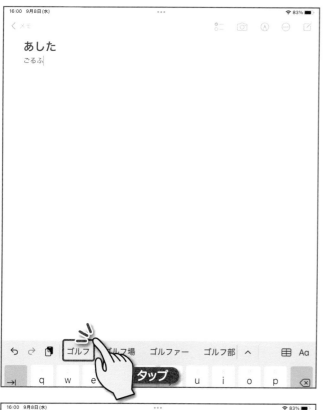

キーボードの上に表示された変換候補から、「ゴルフ」を

タップ 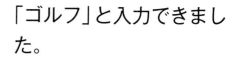 します。

「ゴルフ」と入力できました。

 を

タップ します。

🚩 **ポイント**

画面に表示されている以外の変換候補を表示する方法は、80ページで紹介しています。

終わり

漢字を入力しよう

「日本語ローマ字」のキーボードを使用して、漢字を入力しましょう。漢字は、ひらがなを入力して変換します。変換候補から漢字を選びます。

「日本語ローマ字」キーボードを準備する

漢字のよみがなを入力して漢字に変換します。ここでは、「慶」という名前を入力します。

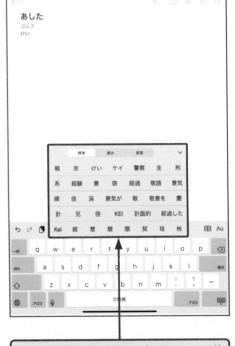

ひらがなを入力します。変換候補が表示されます。

他の変換候補を表示し、漢字を選択します。

① 漢字を入力します

「日本語ローマ字」のキーボードで、「けい」と入力します。

 を

タップ します。

変換候補が表示されます。入力する漢字を

タップ します。

ここでは 慶 を

タップ します。

ポイント

他の変換候補を表示するには、変換候補が表示されている部分を上下にドラッグします。

「慶」と入力できました。

終わり

アルファベットを
入力しよう

▶ キーボード
▶ アルファベット
▶ 大文字

アルファベットを入力してみましょう。「日本語ローマ字」キーボードで、アルファベットを入力する状態に切り替えます。大文字と小文字の切り替え方も覚えましょう。

「日本語ローマ字」キーボードを準備する

「日本語ローマ字」キーボードで、アルファベットも入力できます。小文字と大文字を入力してみましょう。

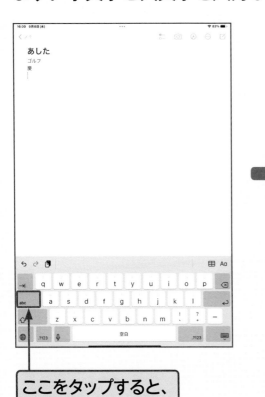

ここをタップすると、

アルファベットを入力できるようになります。

① 小文字のアルファベットを入力します

「日本語ローマ字」のキーボードを表示します。

をタップ 🖐 します。

になります。

ポイント

あいう をタップすると、日本語を入力する状態に戻ります。

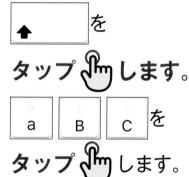

をタップ 🖐 します。

a B C をタップ 🖐 します。

次へ

② 小文字のアルファベットが入力できました

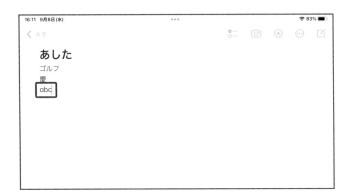

「abc」と入力されます。

③ シフトキーをタップします

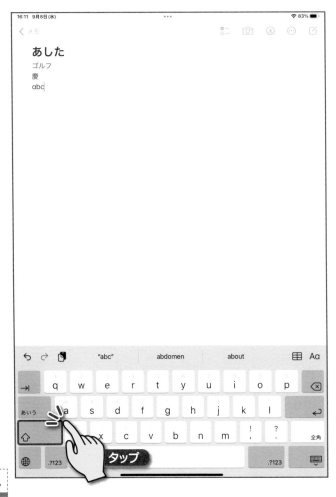

アルファベットの大文字を入力します。

を

タップ  します。

ポイント

⬜をタップすると、⬜が
⬜になります。

④ 大文字のアルファベットを入力します

 D を

タップします。

ポイント

各キーの文字の上にグレーで表示されている文字は、キーを下に軽くスワイプすることで入力することができます。

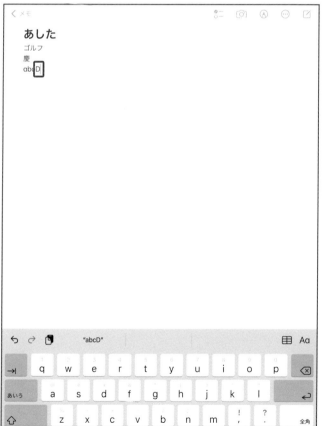

「D」と入力されます。

ポイント

アルファベットの大文字を連続して入力する場合は、⬆を2回タップします。すると、⬆が⬆になり、大文字入力の状態になります。小文字を入力するときは、⬆をタップします。

終わり

数字や記号を入力しよう

▶ キーボード
▶ 数字
▶ 記号

数字や記号を入力してみましょう。「日本語ローマ字」キーボードで、数字を入力する状態、記号を入力する状態に切り替えます。

「日本語ローマ字」キーボードを準備する

「日本語ローマ字」キーボードで、数字や記号も入力できます。下のようなキーが表示されます。

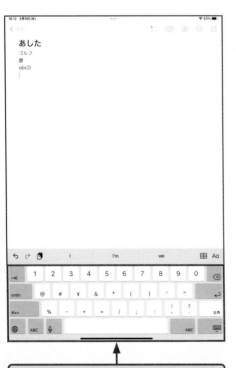 

数字を入力する状態に切り替えます。

さらに、記号を入力する状態に切り替えます。

① 数字や記号を入力します

「日本語ローマ字」のキーボードを表示します。

を

タップします。

ポイント

あいうをタップすると、日本語を入力する状態に戻ります。

数字のキーが表示されます。

を

タップします。

記号のキーが表示され、記号が入力できるようになります。

終わり

文字を削除しよう

間違った文字を削除する方法を知りましょう。まずは、消したい文字の右側に、文字を入力する位置を示すカーソルを移動します。続いて、文字を削除します。

- ▶ 文字
- ▶ 削除
- ▶ カーソル

文字を削除する準備をする

ここでは、「今日は良い天気です。」の「今日は」を削除します。カーソルを移動する方法を知りましょう。

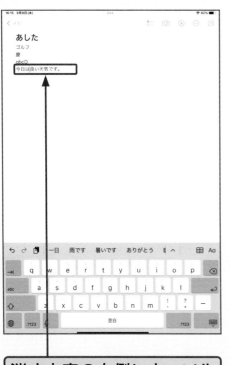

消す文字の右側にカーソルを移動して削除します。

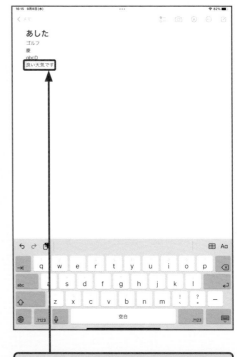

カーソルの左の文字を削除します。

① 文字を削除します

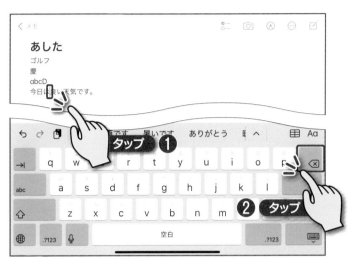

消したい文字の右側を

タップ して、

カーソルを移動します。

⌫ を

タップ します。

カーソルの左の文字が削除されます。

⌫ を

2回**タップ** します。

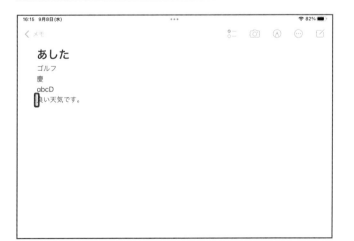

文字が削除されました。

ポイント

カーソルの移動方法は、93ページでも紹介しています。

 終わり

Section
07
文字を
コピー・移動しよう

▶ 文字
▶ コピー
▶ 移動

入力した文字をコピーして別の場所に貼り付けたり、移動したりする方法を知りましょう。最初に、対象の文字を選択してから操作します。

文字をコピー・移動する

ここでは、「良い天気です。」の文字を、コピーして貼り付けます。
文字を選択してから操作します。

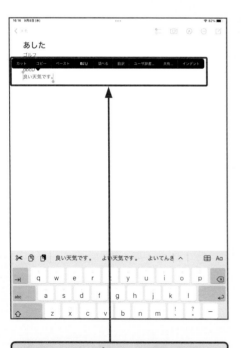

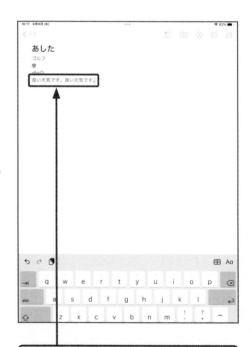

選択のオプションを表示して文字をコピーします。

貼り付け先を指定して貼り付けます。

① 文字を選択します

選択したい単語を

ダブルタップ

します。

ポイント

文字を長めにタップし、表示される選択オプションから 選択 をタップしても、文字を選択できます。

② 文字が選択されました

文字が選択されます。
選択された文字の左右に

グラブポイント が

表示されます。

次へ

③ 文字の選択範囲を指定します

グラブポイント  を

ドラッグ して、

選択したい文字の先頭と
末尾を指定します。

④ 文字をコピーします

選択のオプションから

コピー を

タップ します。

ポイント

文字を移動する場合は、**カット**
をタップします。

⑤ コピー先を指定します

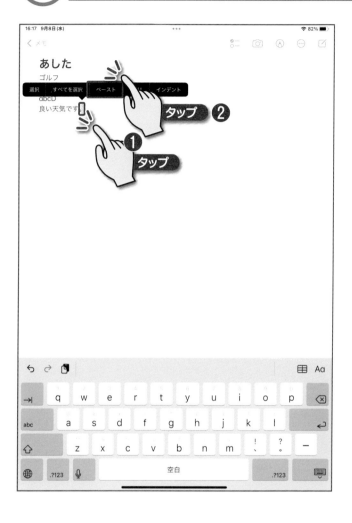

コピー先を長めに

タップ  します。

選択のオプションが表示
されます。

ペースト を

タップ  します。

ポイント

いずれかの文字を長押しする
と、カーソルが大きく表示さ
れます。そのままドラッグする
と、カーソルが移動します。

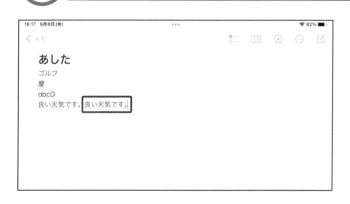

⑥ 文字がコピーされました

コピーしていた文字が貼
り付けられます。

終わり

Q ひらがなをタップして入力したい

A ひらがなをタップして入力するには、「日本語かな」キーボードを使います。

「日本語かな」キーボードに切り替えると、ひらがなをタップして文字を入力できます。「日本語かな」キーボードが表示されない場合は、次の方法でキーボードを追加します。

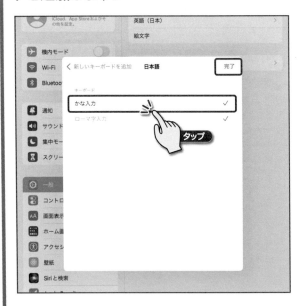

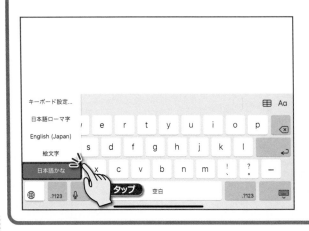

1

67ページの方法で「設定」画面を表示して、左側の [⚙ 一般] をタップ 👆 します。右側で、[キーボード]、[キーボード]、[新しいキーボードを追加...] の順にタップ 👆 し、[日本語] をタップ 👆 します。日本語のキーボードを選択する画面で、[かな入力] をタップ 👆 してチェックを付けます。[完了] をタップ 👆 します。

2

🌐 をタップ 👆 したまま、[日本語かな] まで指を動かすと、キーボードが切り替わります。

第3章　文字入力をスムーズに行おう

絵文字を入力したい

A 絵文字を入力するには、
「絵文字」のキーボードに切り替えます。

「絵文字」キーボードに切り替えると、絵文字をタップして文字を入力できます。
「絵文字」キーボードが表示されない場合は、94ページの上の画面を参考にして
絵文字キーボードを追加します。 ⊕をタップしてキーボードを切り替えます。

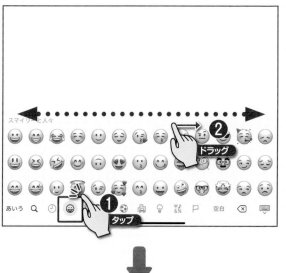

1

文字を入力する画面で、「絵文字」

のキーボードを表示したら、

絵文字のカテゴリーを**タップ**

します。キーボードを左右に

ドラッグして、

絵文字を切り替えます。

2

入力したい絵文字を**タップ**

すると、絵文字を入力できます。

第
3
章

文字入力をスムーズに行おう

文字をフリック入力したい

 フリック入力をするには、「日本語かな」キーボードを使います。

スマートフォンなどでフリック入力に慣れていて、iPadでもフリック入力をしたい場合は、「日本語かな」キーボード（94ページ参照）を使います。

1

67ページの方法で「設定」画面を表示し、左側の 一般 を **タップ** します。右側で キーボード を **タップ** し、 フリックのみ を の状態にします。「日本語かな」キーボードを表示して、  を **タップ** したまま、 フローティング まで指を動かします。

2

フリック入力では、キーを指ではじくようにして文字を入力します。たとえば、「ね」の字を入力するには、「な」行の「な」を右にはらうようにします。
元の表示に戻すには、キーボードを2本の指で左右に大きく広げます。

インターネットを活用しよう

4

ホームページを
閲覧しよう

iPadでインターネットのホームページを見てみましょう。
iPadにあらかじめ入っている「Safari」というアプリを起動
して、ホームページを表示します。

「Safari」の画面

「Safari」の画面は、次のようになっています。

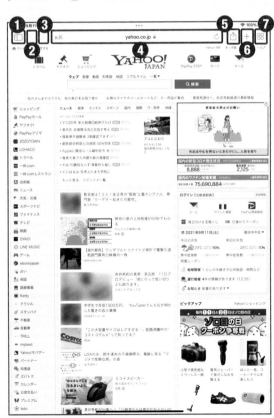

❶お気に入りや履歴を表示します。

❷前に表示していたページを表示します。

❸前に表示したページから、その後に表示したページに移動します。

❹ホームページのアドレスを指定したり、ホームページを検索します。

❺ホームページをお気に入りに追加したりします。

❻新しいタブを開きます。

❼複数のタブを表示しているとき、タブを切り替えたりタブを閉じたりします。

① Safariを起動します

タップ

ホーム画面を表示します。

「Safari」の

アイコン を

タップ します。

② Safariが起動しました

タップ

「Safari」が起動します。

Q 検索/Webサイト名入力

(「スマート検索フィールド」)を

タップ します。

次へ

検索/Webサイト名入力

にカーソルが表示され
ます。

検索/Webサイト名入力

に表示するホームページ
のアドレスを

入力し、　　　　　を
タップします。

ポイント

ここでは、Yahoo!（ヤフー）
のページを開きます。「www.
yahoo.co.jp」と入力していま
す。

④ ホームページが表示されました

ホームページが表示されます。リンクを
タップ すると、
画面が変わります。

ポイント

画面上をスプレッドすると、画面が拡大表示されます。ピンチで画面が縮小表示されます。

⑤ 前のページに戻ります

前に見ていたページに
戻るには、 < を
タップ します。

ポイント

< が表示されていない場合は、画面の上端をタップして表示します。

ホームページを
検索しよう

▶ ホームページ
▶ Safari
▶ 検索

「スマート検索フィールド」を使用して、ホームページを検索してみましょう。キーワードに一致するホームページが検索されたら、検索結果をタップしてページを切り替えます。

「スマート検索フィールド」を使って検索する

ここでは、「技術評論社」というキーワードを入力して、ホームページを検索します。

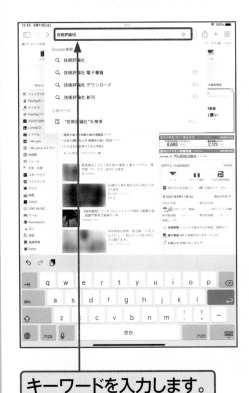

キーワードを入力します。

検索結果が表示されます。

① ホームページを検索します

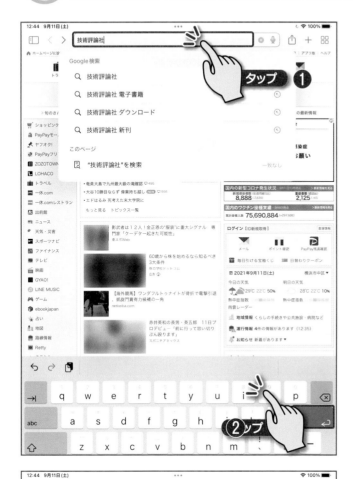

を

タップ  して、
検索するキーワードを
入力します。

を
タップ  します。

ポイント

複数のキーワードを指定する
場合は、単語をスペースで区
切って入力します。

検索結果が表示されま
す。
見たいホームページを
タップ 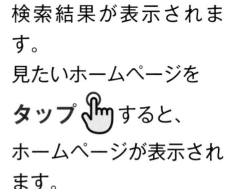 すると、
ホームページが表示され
ます。

終わり

103

複数のホームページを開こう

▶ ホームページ
▶ 複数ページ
▶ タブ

ホームページを開いたまま、他のホームページ見たい場合は、新しいタブを追加してホームページを表示します。タブは、複数追加することもできます。

複数のタブを表示する

複数のホームページを同時に開いて閲覧するには、画面の上部に表示されるタブを使用します。まずは、タブを追加します。

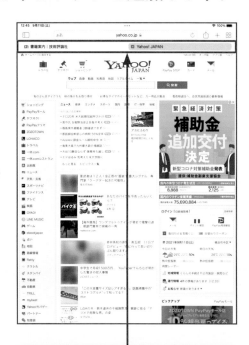

ホームページが表示されています。

タブを追加して、別のホームページを表示します。

① タブを追加します

＋ を

タップ 🖐 します。

🚩 ポイント

ホームページ上のリンクを長押しすると表示される、[バックグラウンドで開く] をタップしても、新しいタブで開くことができます。

タブが追加されます。

🔍 検索/Webサイト名入力

に、表示するホームページのアドレスか、キーワードを

入力 🖐 して
検索します。

ホームページが表示されました。

終わり

Section

04

ページを切り替えて表示しよう

▶ ホームページ
▶ 複数ページ
▶ タブ

複数のページを表示しているときは、タブを使用して表示するページを切り替えます。また、不要なタブを削除する方法も知っておきましょう。

タブを操作する

タブをタップして、ページを切り替えたり閉じたりします。一度閉じたタブを再表示することもできます。

複数のページを開きます。

タブをタップして表示するページを切り替えます。

① タブを切り替えます

表示したいページの
タブを

タップ 🖐 します。

② タブが切り替わります

表示されるページが切り
替わります。

🚩 ポイント

タブの横の⊠をタップすると、
タブが閉じます。最近閉じた
タブを再び表示するには、⊞
を長押しし、表示される一覧
から開くタブをタップします。

終わり

お気に入りに登録しよう

▶ お気に入り
▶ ブックマーク
▶ お気に入りの一覧

よく見るホームページは、お気に入りやブックマークに登録しておくとよいでしょう。アドレスを入力する手間なく、すばやくホームページを表示できて便利です。

お気に入りについて

お気に入りに追加したホームページは、お気に入りの一覧に表示されます。一覧から、かんたんに開くことができます。

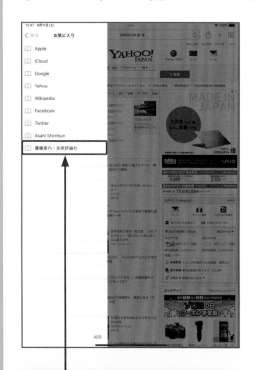

お気に入りの一覧から表示するページを選択します。

選択したページが表示されます。

① お気に入りに追加します

お気に入りに追加したい
ページを開いておきます。

を

タップします。

お気に入りに追加	☆

をタップします。

次へ

② お気に入りに追加されました

保存 を

タップ します。

お気に入りにページが追加されました。

③ お気に入りの一覧を表示します

お気に入りに追加したページとは別のページを開いておきます。

🔖 を

タップ します。

④ お気に入りからページを開きます

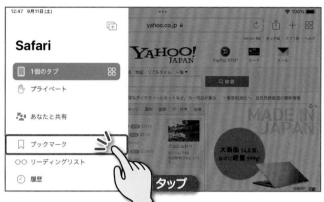

ブックマーク を

タップ します。

ブックマークの一覧が
表示されます。

☆ お気に入り ＞ を

タップします。

■ ポイント

すでに「お気に入り」が表示されている場合は、次の手順に進みます。

お気に入りの一覧が表示されます。
表示したいページを
タップすると、
ページが表示されます。

終わり

ホーム画面から 検索しよう

ホーム画面から、見たい情報にすばやくアクセスする方法を紹介します。スポーツの試合結果や天気予報、株価などをかんたんに調べられます。

検索フィールドを表示する

ホーム画面を下にスワイプすると、検索フィールドが表示されます。ここでは、好きな野球チームの試合結果を見ます。

検索画面を表示します。

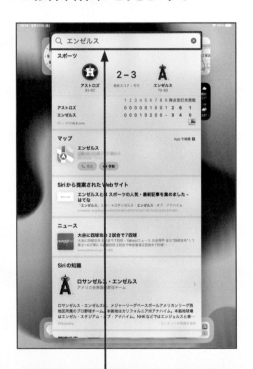

キーワードを入力すると、検索結果が表示されます。

① 検索フィールドを表示します

ホーム画面の
真ん中から下に
スワイプ します。

② 検索フィールドが表示されます

検索フィールドが表示さ
れます。

次へ

検索フィールドにキーワードを

入力します。

ここでは、「エンゼルス」と

入力します。

試合結果が表示されました。

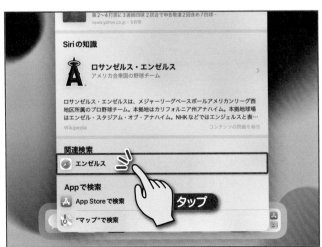

今度は、インターネットで「エンゼルス」の情報を検索します。画面を下にスワイプして、

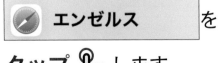を

タップします。

④ インターネットの検索結果を見ます

Safariが起動して検索結果が表示されます。

画面を**スワイプ**して下の方を表示します。

⑤ 見たい項目を選択します

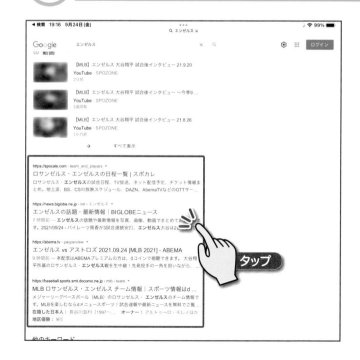

見たい項目を**タップ**すると、ページが切り替わります。

終わり

地図を閲覧しよう

インターネットで地図を閲覧してみましょう。ここでは、「マップ」のアプリを使って地図を閲覧します。地図は、拡大／縮小表示ができます。

「マップ」について

「マップ」を起動して地図を表示します。ここでは、現在地の地図を確認します。

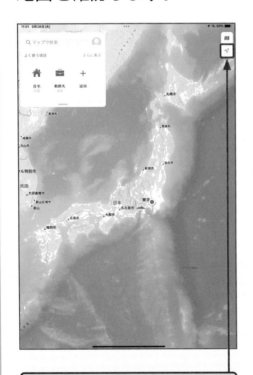

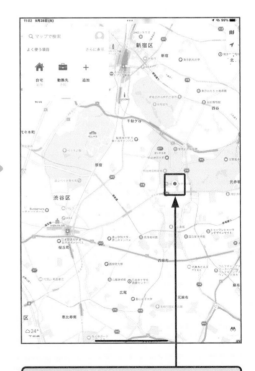

「マップ」で地図を表示します。位置情報を利用して、

現在地の地図を表示できます。

① 「マップ」を起動します

ホーム画面を表示し、インターネットに接続している状態で、「マップ」のアイコン を

タップ します。

② 「マップ」が起動しました

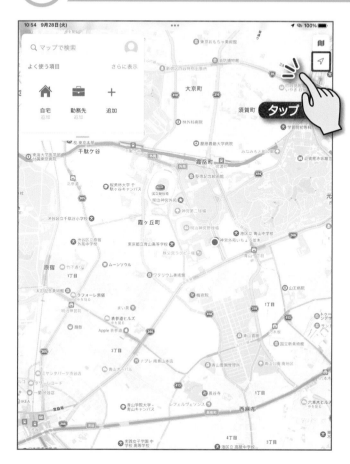

「マップ」が起動し、地図が表示されます。

 を

タップ します。

ポイント

位置情報の利用を許可するかどうかのメッセージが表示された場合は、 Appの使用中は許可 をタップします。

次へ

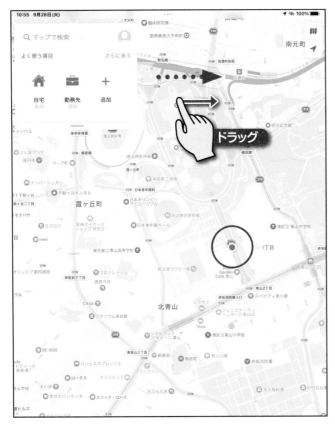

現在地が表示されます。
表示する場所をずらすに
は、地図上を

ドラッグ します。

ポイント

位置情報の利用をあとから許
可するには、67ページの方法
で「設定」画面を表示し、
プライバシー をタップして、
位置情報サービス をタップします。
位置情報サービス を にします。下
に表示される マップ をタッ
プして この App の使用中のみ許可 をタップし
ます。

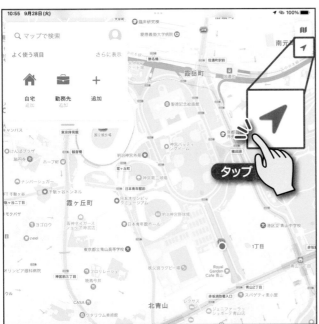

↑ を

タップ します。

④ iPadの方向が表示されます

iPadを向けている方向
が表示されます。

ポイント

地図の向きを変えるには、2
本指で地図上を回転します。
また、北を上向きにするには、
画面右上のをタップします。

 を

タップ 👆 します。

ポイント

現在地を表示しているときに
「コンパスの干渉」という画面
が表示された場合は、iPadを
8の字型に動かすと再調整さ
れます。

次へ

⑤ 地図が元に戻りました

地図が元の表示に戻りました。

⑥ 地図を拡大表示します

ダブルタップ

地図上を
ダブルタップ
します。
ダブルタップ
するたびに地図が拡大表示されます。

ポイント

地図上をスプレッドすると拡大表示、ピンチすると縮小表示できます。

⑦ 地図を縮小表示します

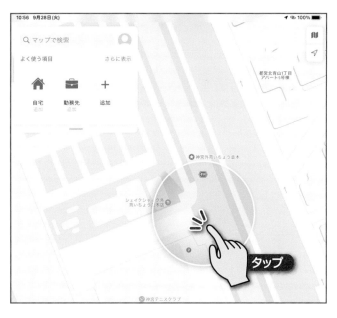

拡大した地図を縮小する
には、2本指で
タップ します。

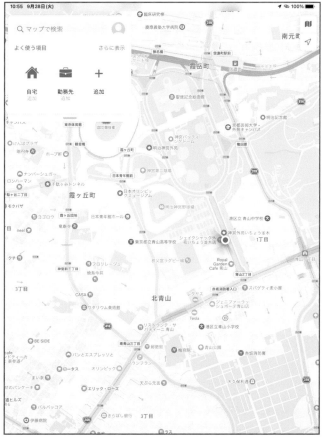

2本指で
タップ するたびに
地図が縮小表示されま
す。

インターネット編

Section

08

第4章　インターネットを活用しよう

地図を検索しよう

▶ マップ
▶ 検索
▶ 場所

「マップ」で、見たい場所の地図を表示します。地名や住所などを入力して見たい場所を検索しましょう。検索候補から見たい場所を選ぶこともできます。

地図の検索について

見たい場所を入力して、その場所の地図を表示します。ここでは「オリンピックスタジアム」近辺の地図を表示しています。

見たい場所を検索します。

入力した場所の地図が表示されます。

第4章　インターネットを活用しよう

122

① 表示する場所を検索します

検索フィールドを
タップします。

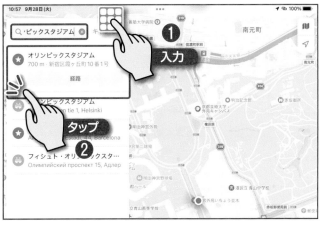

表示したい場所や住所を
入力します。
検索候補を
タップします。

指定した付近の地図が表示されます。

🚩 **ポイント**

画面左には、場所の詳細な情報が表示されています。検索を終了するには、左上の×をタップします。

終わり

現在地から目的地までの経路を調べよう

「マップ」を使って、現在地から目的地までの経路を調べてみましょう。経路を調べるには、出発地や到着地を指定します。ここでは、徒歩での経路を調べます。

経路を表示する

目的地までの経路を調べます。「車」や「徒歩」の経路や距離、移動時間の目安が表示されます。

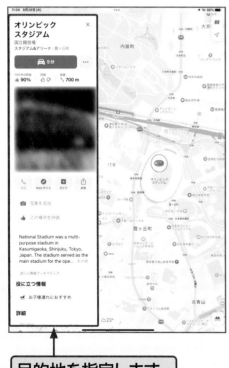

目的地を指定します。

目的地までの経路が表示されます。

1 目的地を指定する準備をします

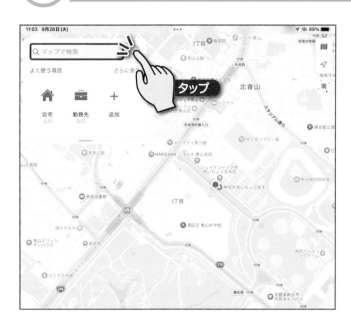

Q マップで検索 を

タップ 🖐 します。

2 目的地を入力します

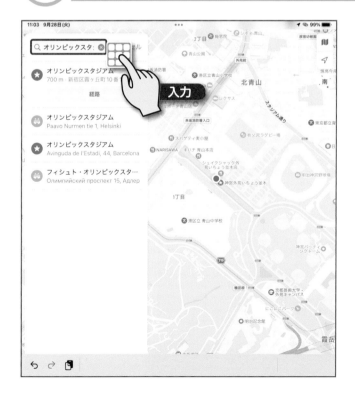

目的地を

入力 🖐 します。

次へ

③ 目的地を選択します

目的地の候補から
目的地を選び、
タップ します。

④ 経路を調べます

目的地が指定されました。

を

タップ します。

5 経路を表示します

経路が表示されます。
ここでは、徒歩の経路を
調べます。

| 🚶 | を

タップ 👆 します。

🚩 **ポイント**

出発地が現在地とは違う場所
の場合は、現在地 をタップして
場所を入力します。

経路が表示されました。

➚ を

2回タップ 👆 して、
iPadを向けている方向
を表示します。
移動すると、現在地の表
示も移動します。

🚩 **ポイント**

⬚ をタップすると、現在地か
らの道順が表示されます。

Q > **電車の乗り換え時間を調べたい**

A > 路線の経路を調べるホームページで、経路や時間、料金など
を調べられます。

「Yahoo!（ヤフー）」の「路線」のページでは、電車の乗り換え時間などを調べ
られます。出発地や目的地、出発時間などを指定して検索しましょう。

1

「Yahoo!（ヤフー）」（99ページ
参照）のページを開き、左側の
メニューから 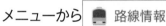 を
タップ🖐して、検索画面を表示
します。「出発」「到着」「日時」を
指定して　　検索　　
をタップ🖐します。

2

検索結果が表示されます。経路や
到着時間、料金などがわかります。

メールを送ったり 受け取ったり しよう

この章でできること

▶ メールを受信する

▶ メールを送信する

▶ メールに返信する

▶ 連絡先を登録する

▶ 写真をメールで送る

iPadで使えるメールについて知ろう

iPadでメールをやり取りするには、「メール」アプリを使用します。ここでは、iPadで使えるメールのアカウントや、「メール」の基本的な内容を紹介します。

① 「メール」アプリを使う

「メール」のアプリでは、さまざまなアカウントを設定して、メールを利用することができます。複数のアカウントを追加することも可能です。ここでは、「iCloud」メールを使用します。

② 「メール」でメールをやり取りする

メールが届くと、「メール」のアイコンに印が表示されます。
「メール」を開いてメールをやり取りします。

💡コラム　iCloudメール

この本では、「iCloud」メールを利用する方法で解説をしています。これは、282ページの方法でApple IDを設定していれば、すぐに使うことができるメールです。それ以外のメールサービスを利用したい場合は、67ページの方法で「設定」画面を開き、「メール」→「アカウントを追加」をクリックして設定します。なお、Apple IDを設定していない場合は、280ページの方法で、Apple IDを取得しておきましょう。

終わり

Section
02

▶ メール
▶ メールボックス
▶ iCloudメール

「メール」を起動しよう

ホーム画面から「メール」を起動して、メールをやり取りする準備をします。また、「メール」の画面構成や、メールボックスについて知りましょう。

 ## 「メール」の画面について

「メール」の画面は、以下のようになっています。

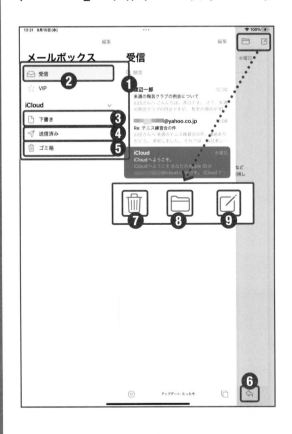

❶メールを分類するボックスです。

❷受信したメールを表示します。

❸下書きに保存したメールを表示します。

❹送信済みのメールを表示します。

❺削除したメールを表示します。

❻開いているメールに返信したり、メールを転送したりします。

❼メールを削除します。

❽開いているメールを移動します。

❾新しいメールを作成します。

① 「メール」を起動します

ホーム画面で、「メール」
のアイコンを

タップ します。

ポイント

ここでは、「iCloud」のメール
を利用する方法で解説してい
ます。これは、Apple IDの設
定が済んでいれば、すぐに利
用することができるメールで
す。Apple IDの設定が済ん
でいない場合は、280ページ
の方法で、設定を完了させて
ください。

② 「メール」が起動しました

「メール」が起動します。

ポイント

メールボックスを表示するに
は、画面右上の < 受信 < 戻る の順に
タップします。

終わり

メールを送信しよう

▶ メール
▶ 宛先
▶ 送信

新しいメールを作成しましょう。メールの宛先や件名、内容などを入力して送信します。宛先は、連絡先から選択することもできます。

メールを送信する

新規にメールを作成します。メールの内容を作成して「送信」をタップすると、すぐにメールが送信されます。

新規メールを作成します。

メールの内容を作成して送信します。

① 新規メールを作成します

133ページの方法で「メール」を起動します。

 を

タップ します。

② 新規メールが開きます

新規メール画面が表示されます。

次へ

③ 宛先を指定します

宛先: を

タップ して、

宛先を

入力 します。

ポイント

連絡先にメールアドレスを登録している場合は、⊕をタップして宛先を選択できます。連絡先の登録方法は、142ページで紹介しています。

④ 件名を入力します

件名: を

タップ して、

件名を

入力 します。

⑤ 内容を入力します

本文を**入力**する欄を
タップ して、
内容を
入力 します。

⑥ メールを送信します

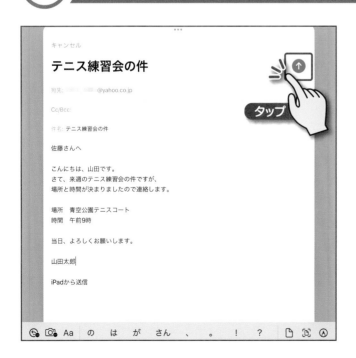

 を
タップ すると、
メールが送信されます。

ポイント

送信したメールは、メールボックスの  に入ります。

終わり

メール編

Section

04

第5章 メールを送ったり受け取ったりしよう

受信したメールを読もう

▶ メール
▶ 受信ボックス
▶ 受信

メールが届くと、ホーム画面の「メール」のアイコンに印がつき、メールが何通届いているかわかります。ホーム画面から「メール」を起動して、メールの内容を確認しましょう。

メールを受信する

ホーム画面で届いているメールの数を確認し、受信メールを表示します。

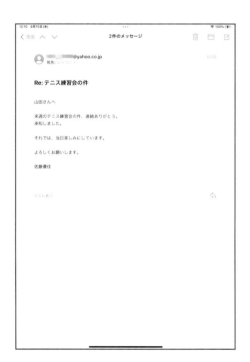

メールが届いていることを示す印が表示されます。

「メール」を起動してメールの内容を確認します。

① メールを受信します

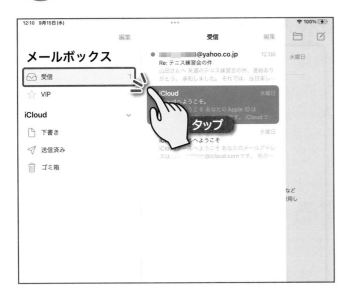

メールボックスの

☐ 受信

を

タップ 🖑 します。

ポイント

メールボックスが表示されていない場合は、画面上部の `< 受信`、`< 戻る` をタップします。

受信したメールが表示されます。
メールのタイトルを
タップ 🖑 します。

ポイント

◉ のついたメールは、未開封のメールです。

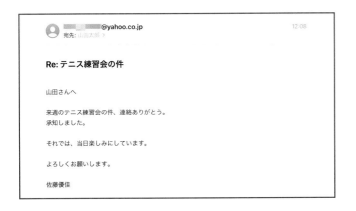

メールが表示されます。

終わり

メールに返信しよう

受信したメールに返信するには、そのメールを表示してから操作します。また、差出人宛てに返信するのではなく、そのメールを他の誰かに送信する場合は、メールを転送します。

▶ メール
▶ 返信
▶ 転送

メールに返信する

メールに返信したり転送したりするには、まず、そのメールを開き、返信内容を入力します。

返信するメールを開いておきます。

返信内容などを入力してメールを送信します。

① メールに返信します

139ページの方法で、返信するメールを開いておきます。

を

タップします。

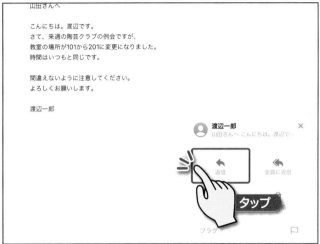

を

タップします。

ポイント

メールを転送する場合は、をタップします。

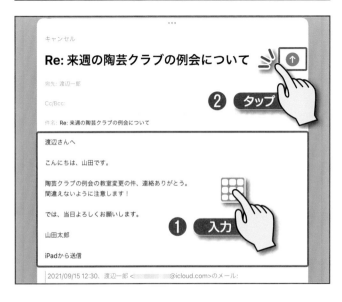

返信内容を

入力します。

を

タップすると、

メールが送信されます。

終わり

連絡先を登録しよう

頻繁にメールのやり取りをする人は、連絡先にメールアドレスを登録しておきましょう。宛先を指定するときに、連絡先からかんたんに宛先を指定できるので便利です。

連絡先について

受信メールの差出人や、送信メールの宛先などから連絡先を追加できます。連絡先は、「連絡先」アプリに保存されます。

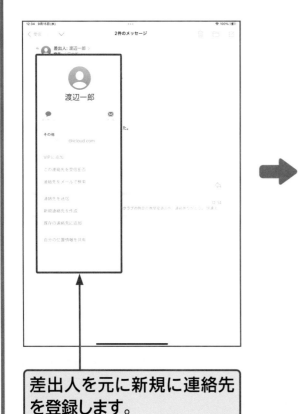

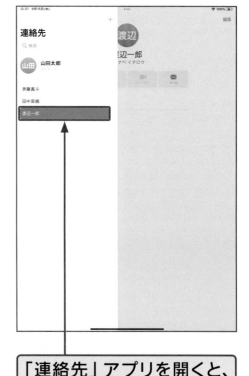

差出人を元に新規に連絡先を登録します。

「連絡先」アプリを開くと、登録内容を確認できます。

① 連絡先を登録します

受信メールや送信メール
を開きます。
宛名を登録する名前の

$\boxed{渡辺一郎}$ を

タップ 🖑 します。

連絡先に登録したい
相手を

タップ 🖑 します。

宛先の詳細が
表示されます。

$\boxed{新規連絡先を作成}$ を

タップ 🖑 します。

次へ

姓名やよみがなを
入力します。

完了 を
タップします。

ポイント

登録したメールアドレスは、
「連絡先」に保存されます。
ホーム画面の📱をタップする
と、「連絡先」が開きます。

第5章 メールを送ったり受け取ったりしよう

③ 連絡先からメールの宛先を入力します

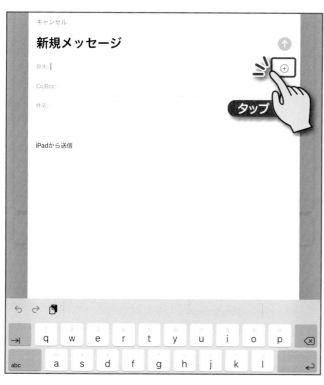

135ページの方法で、新規メッセージを表示します。

「宛先」の $\boxed{+}$ を

タップ します。

連絡先の一覧が表示されました。
メールを送信する宛先を

タップ すると、
宛先にメールアドレスが**入力**されます。
その後は、136ページからの方法で、メールを送信します。

終わり

メール編

Section

07

▶ メール
▶ 削除
▶ ゴミ箱

第5章　メールを送ったり受け取ったりしよう

メールを削除しよう

不用なメールを削除する方法を知っておきましょう。なお、メールを削除するとメールがゴミ箱に入ります。メールを完全に消すには、同様にゴミ箱からもメールを削除します。

メールをゴミ箱に入れる

不用なメールや、迷惑メールなどを削除します。ここでは、受信したメールを選択して削除します。

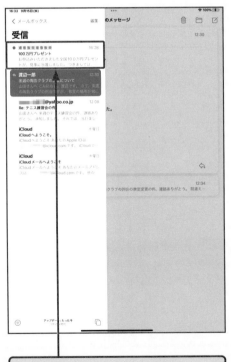

削除するメールを選択して
ゴミ箱に入れます。

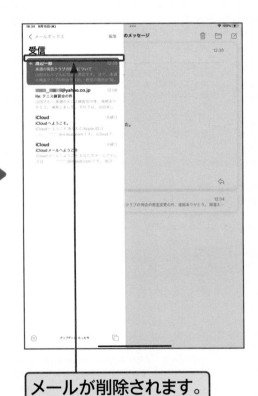

メールが削除されます。

① 編集画面を開きます

139ページの方法で、メールボックスを表示します。

編集 を

タップ します。

② メールを削除します

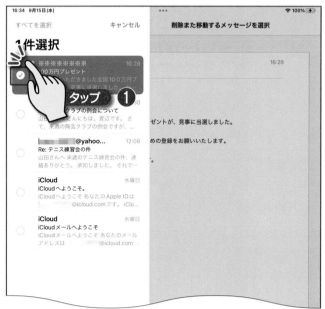

削除するメールを選択します。メールの先頭の

○ を

タップ します。

先頭の印が

✓ になります。

ゴミ箱 を

タップ すると、

メールが削除されます。

終わり

Section
08

メールで写真を送ろう

▶ メール
▶ 写真
▶ 添付ファイル

iPadのカメラで撮影した写真をメールで送ってみましょう。
写真のファイルサイズが大きい場合は、メールの作成画面で
ファイルサイズを変更して送信することができます。

メールに写真を添付する

写真をメールで送ります。ここでは、メールの作成画面から写真を添付します。

メールの作成画面から添付する写真を選択します。

メールに写真が表示されました。

① 写真を添付します

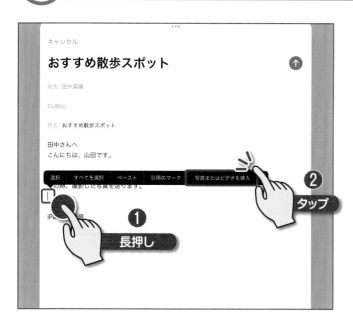

135ページの方法でメールを作成する画面を表示します。

本文の**入力**欄で、写真を入れたい場所を

長押し 🖐 します。

写真またはビデオを挿入 を

タップ 🖐 します。

② 写真が入っている場所を指定します

すべての写真 を、

タップ 🖐 します。

🚩 ポイント

最近の写真を添付するには、写真の一覧から添付する写真をタップして、151ページ④へ進みます。

次へ

③ 添付する写真を選択します

写真が入っている場所の
項目を
タップ 🖐 します。

写真の一覧を
ドラッグ 👉 して、
添付する写真を選んで
タップ 🖐 します。

使用 を
タップ 🖐 します。
メールに写真が表示され
ます。

④ 写真のファイルサイズを確認します

写真のファイルサイズを
確認し、ファイルサイズ
の表示部分を
タップ します。

⑤ 写真のファイルサイズを指定します

画像のサイズを選び
タップ します。
その後は、137ページか
らの方法で、メールを送
信します。

ポイント

iPadで撮影した写真は、ファ
イルサイズが大きくなること
があります。メールで送信す
る場合は、ファイルサイズを
小さくして送りましょう。

終わり

複数の人にメールを送りたい

A メールの作成画面の宛先欄に、複数の人を指定します。

複数の人に同じ内容のメールを送るには、メールの作成画面の宛先欄に、複数の人を指定します。連絡先に登録している人は、かんたんに追加できます。メールアドレスを直接入力して指定する場合は、 をタップして区切りを付けてから、次のメールアドレスを指定します。

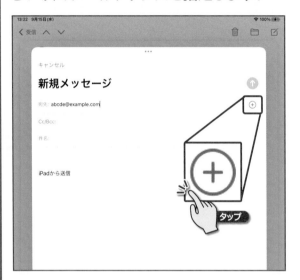

1

136ページの方法で、一人目の宛先を指定します。続いて、二人目の宛先を指定します。

連絡先から宛先を指定するには、

 を**タップ** して宛先を選択します。なお、直接メールアドレスを入力しても構いません。

2

複数の人を宛先に追加できました。あとは、136ページの方法でメールを送信します。

メッセージ機能って何?

 iPadやiPhoneなどのApple製品同士で手軽にメッセージを
やり取りできるアプリです。

ホーム画面で ◯ をタップし、Apple ID (280ページ参照) でサインインして
「メッセージ」アプリを使う準備をします。その後は、「メッセージ」アプリを開
いてメッセージのやり取りができます。

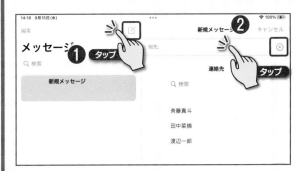

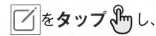
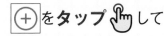

| 1 |

「メッセージ」アプリで

☑ を**タップ** し、

⊕ を**タップ** して
宛先を指定します。

| 2 |

メッセージを入力して ⬆ を

タップ します。

会話をするようにメッセージの
やり取りができます。

メールの署名を設定したい

 「設定」画面で、署名の内容を入力します。

67ページの方法で「設定」画面を開き、メールの署名の内容を指定します。署名を設定すると、次回以降、新しいメールを作成すると自動的に署名が入力されます。

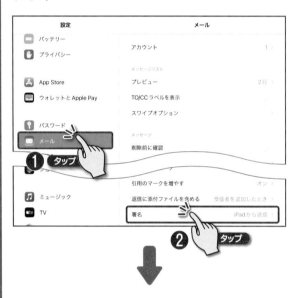

1

「設定」画面を表示し、左側の

|  メール | を |

タップ します。

右側の画面で、| 署名 | を

タップ します。

2

署名の内容を**入力**します。

「設定」画面を閉じます。あとは、135ページの方法でメールを作成すると、署名の入ったメールが作成できます。

写真を
撮影して
楽しもう

この章でできること

- ▶ 写真を撮影する

- ▶ 写真を閲覧する

- ▶ 写真を編集する

- ▶ 写真をアルバムにまとめる

- ▶ メモリームービーを再生する

写真編

iPadで写真を撮影しよう

▶ カメラ
▶ 写真
▶ ズーム

iPadのカメラを使って、写真を撮影してみましょう。ここでは、カメラアプリを使って、写真を撮影して、写真を確認する方法を解説します。

 ## 「カメラ」を使う

「カメラ」アプリを起動すると、カメラで写真を撮影できる状態になります。なお、「カメラ」アプリで位置情報の利用を許可すると、撮影した場所の情報が写真やビデオに保存されます。

❶ ◎をタップすると、背面と前面のカメラが切り替わります。

❷ ◎をタップすると、タイマーを使った撮影ができます。

❸ ◯をタップしてシャッターを切ります。

❹ スワイプすると、写真や動画などのカメラのモードが切り替わります。

① 「カメラ」を起動します

ホーム画面で、「カメラ」
のアイコン  を

タップ  します。

② 撮影のモードを指定します

モードの表示部分を

ドラッグ して、

写真 を選択します。

ポイント

位置情報の利用をあとから許
可するには、「設定」画面を表
示し、118ページのポイント
の方法で 位置情報サービス を にし
ます。下に表示される カメラ
をタップし、このAppの使用中のみ許可 をタッ
プします。

次へ

③ カメラを構えます

カメラを構えます。
画面上を

スプレッド、

または

ピンチを

すると、ズーム機能が働きます。

④ 写真を撮ります

を

タップして、
シャッターを切ります。

ポイント

ピントや露出を手動で調整するには、ピントを合わせる場所をタップし、を上下にドラッグして露出を調整します。

⑤ 写真を撮影できました

写真を撮影できました。
画面右の写真が表示され
ているところを

タップ します。

⑥ 写真が表示されました

画面を左右に

スワイプ して
表示する写真を
切り替えます。

く を

タップ すると、
元の画面に戻ります。

終わり

撮影した写真を
閲覧しよう

▶ 写真
▶ 拡大／縮小
▶ アルバム

「カメラ」のアプリで撮影した写真は、「写真」のアプリで閲覧します。「写真」のアプリを起動して、撮影した写真を見る方法を知りましょう。

「写真」について

「写真」を起動して、撮影した写真を表示してみましょう。

ホーム画面から「写真」を起動します。

写真を順番に表示します。

第6章

写真を撮影して楽しもう

① 「写真」を起動します

ホーム画面で、「写真」の
アイコン を
タップ します。

> **ポイント**
>
> 「写真の新機能」のメッセージ
> が表示された場合は、 続ける
> をタップします。

② 写真を表示します

「写真」が起動します。

| すべての写真 | を

タップ します。

> **ポイント**
>
> 左の画面が表示されない場合
> は、左上の く写真 をタップして
> 写真の分類画面を表示します。
> 続いて、 📷 ライブラリ をタップ
> します。

次へ

③ 写真を選択します

写真の一覧が表示されます。
大きく表示したい写真を
タップ します。

④ 写真が大きく表示されます

写真が表示されます。
画面上を
スプレッド すると
写真が拡大、
ピンチ をすると
縮小表示されます。

⑤ 他の写真に切り替えます

スワイプ

画面上を左から右に

スワイプ 🖐️➡️ すると、

前の写真が表示されます。

右から左に

スワイプ 🖐️➡️ すると、

次の写真が表示されます。

⑥ 写真が切り替わりました

10:56 9月30日(木)　　　新宿区 - 霞ヶ丘町　　　🔋98%

火曜日 11:34

タップ

別の写真が表示されます。

< を

タップ 🖐️ します。

元の画面に戻ります。

🚩 **ポイント**

< が表示されていないとき
は、画面をタップします。

終わり

撮影した写真を編集しよう

▶ 写真
▶ 色
▶ トリミング

「写真」では、写真を加工することもできます。ここでは、色を加工して、写真の雰囲気を変えてみましょう。また、写真をトリミングして、余計な部分を削除します。

写真を編集する

写真を選択して編集します。写真の色などを加工してみましょう。

この写真を編集します。

色を加工したあと、不要な部分を削除します。

① 写真の編集画面を表示します

161ページの方法で「写真」を起動します。
編集する写真をタップして大きく表示します。

編集 を

タップ します。

② 色を加工する準備をします

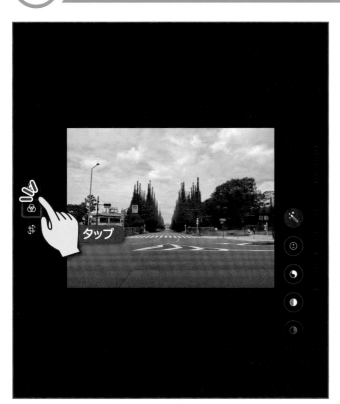

編集中の画面が表示されます。  を

タップ します。

ポイント

✕をタップすると、元の画面に戻ります。✓をタップすると、写真の加工が保存されます。

第6章 写真を撮影して楽しもう

次へ

③ 色を変更します

色の加工方法が表示されます。

適用するものを

タップ します。

写真の色味が変わります。

タップ

④ 写真をトリミングする準備をします

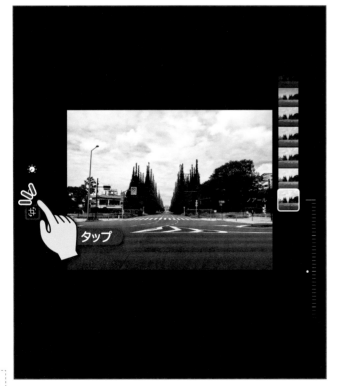

を

タップ します。

自動的にトリミングする範囲が表示されます。

タップ

⑤ トリミングする範囲を指定します

ドラッグ

グリッドツールの角の
 を

ドラッグ して、
トリミングする範囲を
指定します。

ポイント

画面上の🔲をタップすると、
トリミング後の写真の縦横比
を選択できます。

⑥ 写真を保存します

タップ

✓ を

タップ すると、
写真が保存されます。

ポイント

露出や明るさなどを調整する
には、🔆をタップします。表
示されるアイコンをタップす
ると、明るさや彩度、コント
ラストなどを指定できます。

終わり

写真を整理して
アルバムにまとめよう

▶ 写真
▶ アルバム
▶ 新規アルバム

写真が増えてきたら、アルバムを作成して写真を整理しましょう。選択した写真だけを集めてアルバムにまとめておけます。アルバムに写真を追加することもできます。

アルバムを作成する

ここでは、「神宮外苑散歩」というアルバムを作成して、写真をアルバムに追加します。

アルバムに入れる写真を選択します。

写真の分類画面にアルバムが表示されます。

① 写真の分類画面を表示します

161ページの方法で「写真」を起動します。

| < 写真 | を

タップ 🖑 します。

② 新しいアルバムを作成します

写真の分類画面が表示されます。

| **マイアルバム** | の

| + 新規アルバム | を

タップ 🖑 します。

次へ

③ アルバム名を保存します

アルバムの名前を

入力します。

保存 を**タップ**

します。

写真の一覧が表示されます。

作成したアルバムに
追加する写真を、

タップして
選択します。

第6章
写真を撮影して楽しもう

170

④ 写真を追加します

完了 を

タップ します。

⑤ アルバムが作成されました

新しいアルバムを作成できました。

🚩 ポイント

写真をあとからアルバムに追加するには、169ページの写真の分類画面でアルバム名をタップし、⊞をタップします。続いて表示される画面で追加する写真を選択し、完了をタップします。

終わり

第6章 写真を撮影して楽しもう

iPadで
動画を撮影しよう

「カメラ」アプリでは、動画を撮影することもできます。撮影
モードを変更して動画を撮影してみましょう。撮影した動画
は、「写真」アプリで見られます。

動画を撮影する

「カメラ」アプリで動画を撮影すると、「写真」アプリの写真の
分類画面の「ビデオ」や、「ライブラリ」に表示されます。右下
に動画の時間が表示されているビデオをタップすると、再生で
きます。

「写真」アプリで撮影した
動画を表示します。

ビデオをタップすると、
再生されます。

① 動画を撮影します

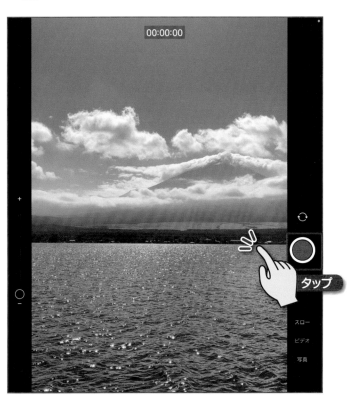

「カメラ」を起動して
撮影モードを ビデオ に
します。⬤ を

タップ すると、
撮影が開始されます。
画面上を

スプレッド したり
ピンチ をしたり
して、ズーム機能を利用
することもできます。

② 撮影を終了します

動画の時間が表示されま
す。
撮影を終了するには、
⬛ を **タップ**
します。

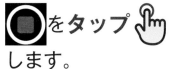

終わり

写真を
iPadの壁紙にしよう

▶ 写真
▶ 壁紙
▶ ホーム画面

「カメラ」アプリで撮影したお気に入りの写真を、iPadのホーム画面の壁紙に設定してみましょう。ロック画面の壁紙に設定することもできます。

 ## 壁紙を設定する

「写真」アプリで写真を表示して、壁紙を設定しましょう。ホーム画面の背景をお気に入りの写真に設定します。

> ホーム画面の壁紙を
> 変更します。

> 壁紙が、指定した写真に
> 変更されました。

第6章　写真を撮影して楽しもう

① 写真を表示します

「写真」アプリを起動して、壁紙にしたい写真を大きく表示します（161ページ参照）。

画面右上の ⬆️ を

タップ 🖐 します。

② 写真に関する項目を選択します

壁紙に設定 を

タップ 🖐 します。

次へ

③ 壁紙に設定する準備をします

表示される画面で

設定 を

タップ します。

④ 壁紙を設定します

続いて表示される画面で

ホーム画面に設定 を

タップ します。
すると、指定した写真が
ホーム画面の壁紙になり
ます。

終わり

Q > 写真をプリントしたい

A > 「写真」アプリを起動して、印刷画面を表示して印刷を実行します。

まずは、プリンターの設定を行います。ここでは、Wi-Fiに対応したプリンターを使います。プリンターとiPadを同じWi-Fiネットワークに接続します。プリンターのWi-Fi機能をオンにする設定は、プリンターの取り扱い説明書をご確認ください。続いて、以下のように操作します。なお、プリンターのメーカーによっては、印刷に便利なアプリが用意されている場合もあります。

1

「写真」を起動して、印刷したい写真を大きく表示します(161ページ参照)。続いて、画面右上の

をタップし、

表示される画面で プリント を

タップします。

2

続いて表示される画面で印刷するプリンターを選択します。
自動的に指定される用紙サイズなどを確認し、

プリント をタップします。

Q 写真を削除したい

A 写真を選択してゴミ箱に入れます。

写真を削除するには、写真の一覧から削除する写真を選択します。続いて、写真をゴミ箱に入れます。なお、ゴミ箱に入れた写真は、写真の分類画面の 最近削除した項目 に入ります。

1

162ページの方法で写真の一覧を表示します。画面右上の

選択 を**タップ**したあと、削除する写真をタップします。すると、写真が選択されます。

続いて、画面右下の を

タップし、 2枚の写真を削除 を

タップします。

すると写真が削除されます。

2

削除した写真は、169ページで表示した写真の分類画面の

最近削除した項目 に入っています。

写真の右下に表示されている日数が過ぎると写真が完全に削除されます。

音楽と映画を楽しもう

この章でできること

- ▶ iPadに音楽を取り込む

- ▶ iPadで音楽を聴く

- ▶ iPadで見たい映画を探す

- ▶ iPadで映画をレンタルする

- ▶ iPadで映画を視聴する

iPadで音楽や映画を楽しもう

「iTunes Store」のアプリを使用すると、好きな音楽や映画を購入して楽しむことができます。映画は、レンタルして楽しむこともできます。

音楽や映画を楽しむ

この章では、音楽や映画を購入できる「iTunes Store」の利用方法を紹介します。音楽や映画をiPadに入れて持ち歩き、いつでもどこでも楽しめます。

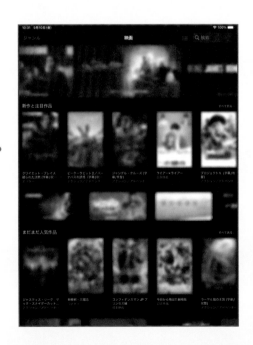

気に入った曲を購入して楽しめます。

映画を購入したり、レンタルしたりできます。

① iPadで音楽を聴く

「iTunes Store」の
ミュージックから、さま
ざまな曲を購入すること
もできます。
購入した曲は、「ミュー
ジック」アプリで聴けま
す。

② iPadで映画を見る

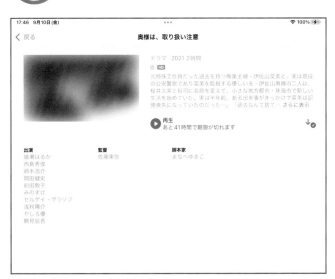

「iTunes Store」の映画
から、さまざまな映画を
購入したりレンタルした
りできます。
映画は、「Apple TV」ア
プリで見られます。

次へ

Section 02

iTunes Storeを使う準備をしよう

- ▶ iTunes Store
- ▶ 音楽
- ▶ 映画

「iTunes Store」を起動して、「iTunes Store」のアプリを使う準備をしましょう。Apple IDやパスワードを入力してサインインします。曲や映画を購入する準備ができます。

第7章　音楽と映画を楽しもう

「iTunes Store」を使う準備をする

「iTunes Store」を起動して、サインインを済ませましょう。

「iTunes Store」を起動します。

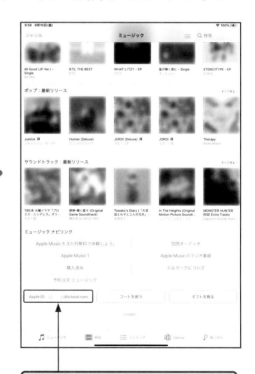

サインインして準備します。

① 「iTunes Store」を起動します

「iTunes Store」  を

タップ します。

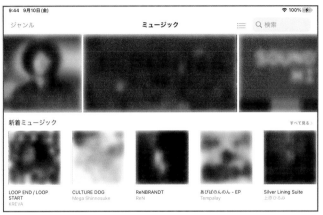

「iTunes Store」の
アプリが起動しました。

ポイント

「ようこそ iTunes Storeへ」
の画面が表示された場合は、
続ける をタップします。

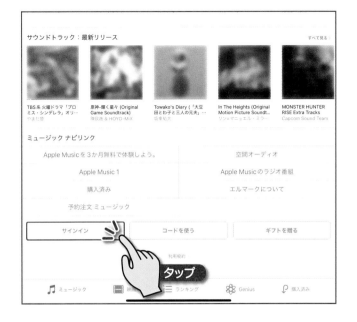

画面下の サインイン

をタップ します。

次へ

② サインインします

左の画面が表示されたら、

既存の Apple ID を使用 を

タップ  します。

Apple ID に

Apple ID を

入力 し、 ← を

タップ します。

ポイント

Apple IDの取得方法は、280
ページを参照してください。

パスワード に

パスワードを

入力 します。

サインイン を

タップ します。

第7章 音楽と映画を楽しもう

184

③ 利用条件などを指定します

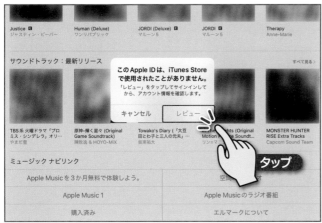

初めて「iTunes Store」を利用する場合は、左の画面が表示されます。

レビュー を

タップ します。

地域に 日本 が

表示されていることを確認します。

利用条件を確認します。

○ を

タップ します。

次へ を

タップ します。

終わり

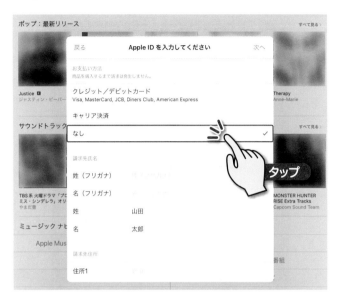

音楽や映画の購入時の請求先情報を指定します。
ここでは、プリペイドカード（206ページ参照）で支払う方法を選択します。

| なし |を

タップ します。

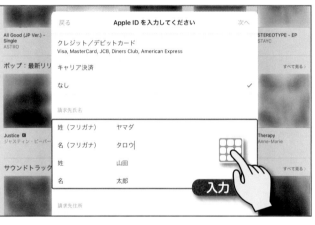

姓名やフリガナなどの情報を入力します。

画面を下から上に
スワイプ して、
続きを入力します。

| 次へ |を

タップ します。

⑤ サインインを完了します

サインインができました。
ショッピングを始めるには、

続ける を

タップ 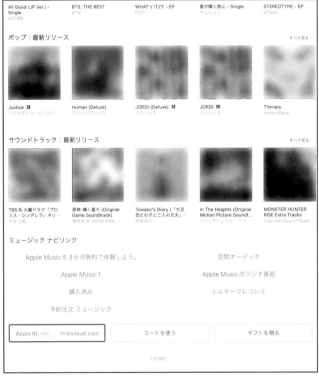 します。

サインインできました。
Apple IDが表示されます。

終わり

Section 03

iTunes Storeで音楽を購入しよう

▶ iTunes Store
▶ 音楽
▶ 視聴

「iTunes Store」で気に入った曲を購入してみましょう。購入前にプレビューを選ぶと、曲を試しに聞いてみることもできます。

「iTunes Store」で曲を購入する

「iTunes Store」で購入する曲を探してみましょう。値段を確認して購入できます。

「iTunes Store」で曲を探します。

支払い内容を確認して購入します。

第7章　音楽と映画を楽しもう

188

① 音楽のジャンルを選択します

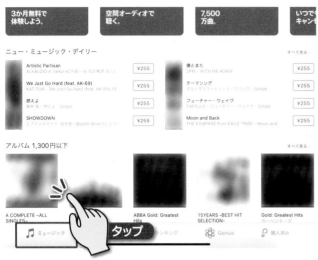

「iTunes Store」を
起動しておきます。

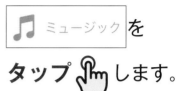を

タップ 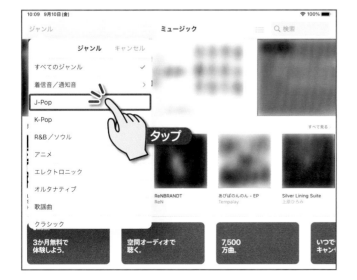 します。

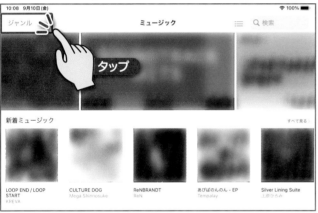

ジャンルを

タップ します。

ジャンルを選択して
タップ します。

次へ

② 購入する音楽を選びます

購入する音楽を選び、
タップ します。

③ 値段を確認して購入します

購入する曲の支払額を
確認して、

| ¥255 | を

タップ します。
ここでは、1曲だけを購
入する例を紹介します。

ポイント

曲名をタップすると、試聴が
できます。

④ 料金を支払います

支払い を

タップ します。

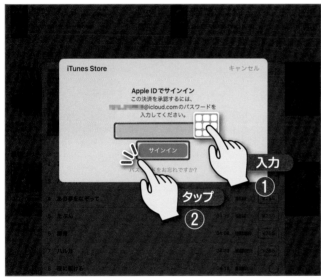

パスワード を

タップ して
パスワードを
入力 します。

サインイン を

タップ します。

購入できました。

終わり

Section

04

購入した音楽を聞こう

- ▶ 音楽
- ▶ ミュージック
- ▶ 再生

「iTunes Store」で購入した曲は、「ミュージック」で再生できます。「ミュージック」を起動して、音楽を再生してみましょう。曲をタップするだけで、曲を切り替えられます。

「ミュージック」アプリについて

曲を再生する画面は、次のようになっています。

❶「ライブラリ」の画面に戻ります。

❷曲名です。曲名をタップすると、曲が再生されます。

❸今、聞いている曲です。

❹再生を停止します。

❺次の曲を聴きます。

第7章 音楽と映画を楽しもう

① 「ミュージック」を起動します

ホーム画面の
「ミュージック」の

アイコン  を

タップ します。

タップ

② 「ミュージック」が起動しました

ミュージックが起動します。

ポイント

Apple Musicの無料体験の案内画面が表示された場合は、今はしない をタップします。

③ 曲を再生します

$\boxed{\langle}$ を
タップ します。

$\boxed{🎤 \text{ アーティスト}}$ を
タップ します。

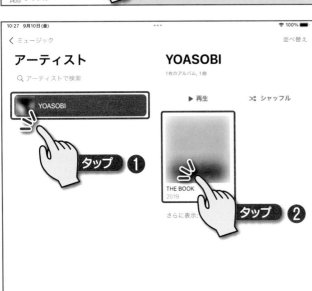

アーティスト名を
タップ します。
CDの画像を
タップ します。

第7章 音楽と映画を楽しもう

194

④ 音量を調整します

▶ 再生 を

タップ すると、
曲が再生されます。

再生している曲の
タイトルを
タップ します。

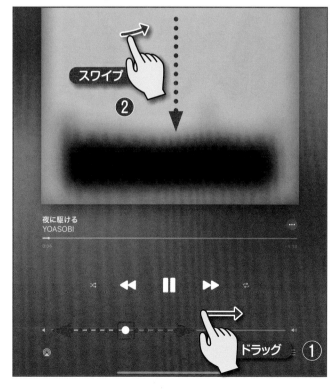

 を

ドラッグ すると、
音量を調整できます。
元の画面に戻るには、
画面中央付近を
下に向かって
スワイプ します。

終わり

Section

05

- ▶ iTunes Store
- ▶ 映画
- ▶ レンタル

iTunes Storeで 映画を購入しよう

「iTunes Store」を使うと、iPadで映画を購入できます。183ページからの方法で、「iTunes Store」を使う準備して利用しましょう。購入した映画は、「Apple TV」で視聴できます。

映画をレンタルする

「iTunes Store」で、映画をレンタルする方法を紹介します。レンタルした映画は、「Apple TV」で視聴できます。

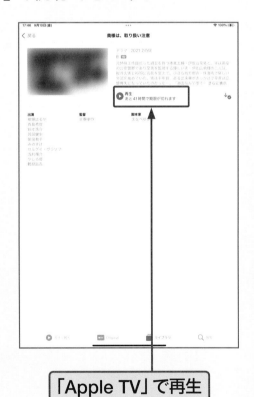

「iTunes Store」で映画をレンタルします。

「Apple TV」で再生できます。

① 映画を探します

183ページの方法で
「iTunes Store」を
起動します。

 を

タップ します。

ジャンル を

タップ し、

ジャンルを選んで

タップ します。

ポイント

あらかじめ、206ページの方法で、一定の金額をチャージしておきましょう。

ドラッグ して
レンタルする映画を
探します。
レンタルしたい映画を
タップ します。

次へ

② 映画が表示されます

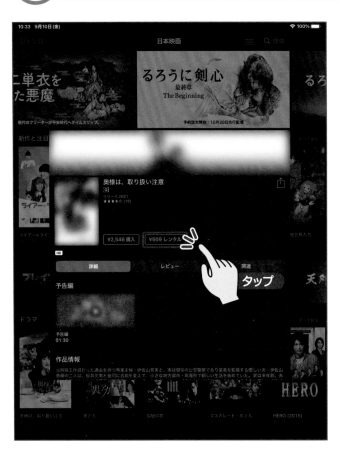

映画の詳細が表示されます。購入かレンタルかを選んで

タップ します。

ここでは、

 を

タップ しています。

> 🚩 **ポイント**
>
> Apple IDのサインインを求められた場合は、パスワードを入力して進めます。

③ 映画をレンタルします

レンタル を

タップ しています。

> 🚩 **ポイント**
>
> Apple IDのサインインを求められた場合は、パスワードを入力して進めます。

第7章　音楽と映画を楽しもう

④ ダウンロードする準備ができます

映画をレンタルしてダウンロードする準備ができました。

⑤ 映画をダウンロードします

元の画面に戻ります。

ダウンロード を

タップ  します。

ポイント

ダウンロードが終わるまでしばらく待ちます。

終わり

レンタル購入した映画を視聴しよう

 Apple TV
 映画
 再生

レンタルした映画を視聴してみましょう。「iTunes Store」で購入した映画は、「Apple TV」で視聴できます。再生中の一時停止や、途中からの再生などもできます。

「Apple TV」について

映画を視聴する画面は、次のようになっています。

❶再生を停止します。

❷ここをタップすると、ビデオの画面が小さく表示され、他のアプリを操作しながらビデオを見られます。元の大きさで表示するには、小さい画面の🔳をタップします。

❸再生画面を大きく拡大して表示します。

❹つまみをドラッグして音量を調整します。

❺再生を一時的に停止します。

❻再生時間が表示されます。つまみをドラッグすると、再生箇所を指定できます。

① 「Apple TV」を起動します

ホーム画面で  を

タップ して、

「Apple TV」を起動します。

🚩 ポイント

「ようこそApple TVへ」の画面が表示された場合は、続ける をタップします。

② ライブラリを表示します

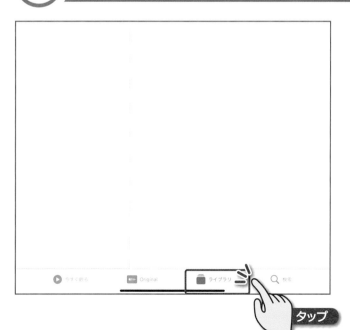

［ ライブラリ］ を

タップ します。

🚩 ポイント

「ライブラリ」が表示されていない場合は、左上の ‹ TV を タップします。

次へ

③ レンタルを表示します

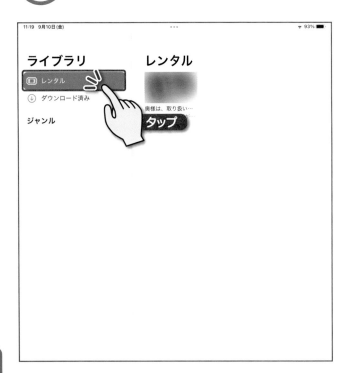

 を

タップします

ポイント

「レンタル」が表示されていない場合は、左側の ライブラリ を
タップします。

④ 映画を選択します

再生する映画を表示して

タップ  します。

ポイント

レンタルした映画は、30日以内に視聴する必要があります。また、最初に視聴したときから48時間の間は何度でも映画を見られますが、48時間が過ぎると自動的に見られなくなります。

⑤ 映画を再生します

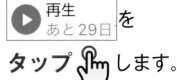 再生
あと29日 を
タップ 🖐 します。

⑥ 確認メッセージが表示されます

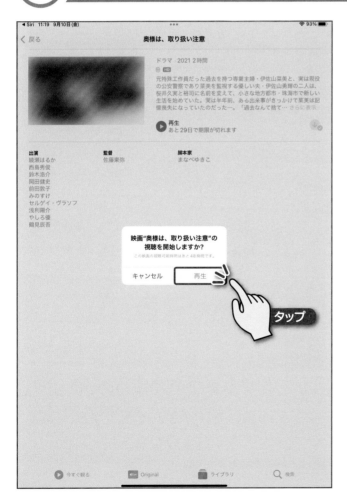

確認メッセージが表示されます。

 再生 を
タップ 🖐 します。

iPadを横向きにし、画面を横にして楽しみましょう。

🚩 ポイント

画面の向きを固定していると、画面の向きは変わりません。固定を解除するには、コントロールセンター（64ページ参照）で指定します。

第7章 音楽と映画を楽しもう

終わり

Q 定額で音楽を聴き放題の「Apple Music」ってどんなサービス?

A 月々の利用料金を支払うことで、さまざまな音楽を聴くことのできるサービスです。

Apple Musicのサービスを利用すると、月々定額の利用料を支払うことで、7,500万曲以上の曲を自由に聴くことができます。利用料は、プランによって異なります。Apple TV+などの複数のサービスをまとめて利用できるApple Oneというお得なセットプランもあります。

1

Apple Musicを無料で試すには、「ミュージック」のアプリを起動して、無料のお試し期間を確認してから登録します。

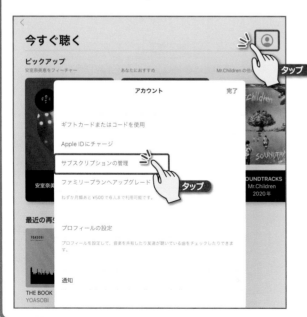

2

お試し期間が終わると、自動的に利用料金がかかります。サービスの利用を止めるには、

をタップし、

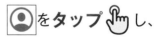 を

タップします。

続いて表示される画面から、無料トライアルの利用をキャンセルします。

定額で映像視聴し放題の「Apple TV+」ってどんなサービス?

 月々の利用料金を支払うことで、Appleオリジナルのさまざまな映像を視聴できるサービスです。

Apple TV+のサービスを利用すると、月々定額の利用料を支払うことで、Apple Originalの作品を視聴できます。利用料は、プランによって異なります。

1

Apple TV+を無料で試すには、「Apple TV」のアプリを起動して、無料のお試し期間を確認して登録します。

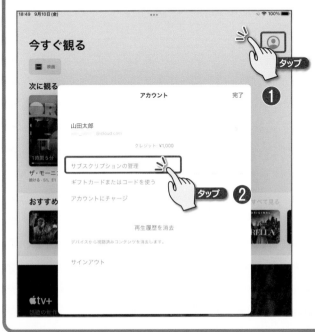

2

お試し期間が終わると、自動的に利用料金がかかります。サービスの利用を止めるには、

 を**タップ**し、

サブスクリプションの管理 を

タップします。

続いて表示される画面から、無料トライアルの利用をキャンセルします。

Q プリペイドカードで音楽や映画を楽しみたい

A　「App Store&iTunesギフトカード」を購入すると、音楽や映画を購入できます。

コンビニエンスストアなどで販売されている「App Store&iTunesギフトカード」を使用すると、Apple IDに金額をチャージして利用できます。カードの裏面に印刷されているコードをiPadで読み取ります。裏面のシールをはがしてコードを表示して操作します。

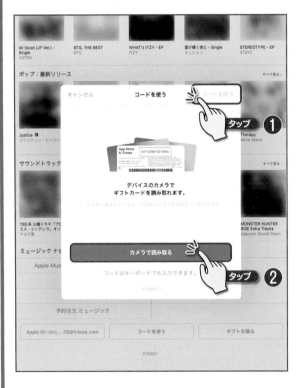

1

「iTunes Store」を起動して、画面下の

コードを使う を

タップして、

カメラで読み取る を

タップします。

操作の途中で、Apple IDへのサインインを求められた場合は、Apple IDのパスワードを

入力してサインインします。

2

「カメラ」が起動するので、裏面のコードを読み取ります。

便利なアプリ を使おう

8

アプリ編

Section

01

▶ メモ
▶ 見出し
▶ チェックリスト

第8章　便利なアプリを使おう

チェックリストを作成しよう

第3章では、「メモ」アプリを使用して文字入力を練習しました。ここでは、「メモ」アプリで入力した文字に書式を設定したりして、見やすいメモを作成します。

メモの文字に書式を設定する

チェックリストを作るには、メモの文字に書式を設定します。他にも、見出しや本文などの書式を設定できます。

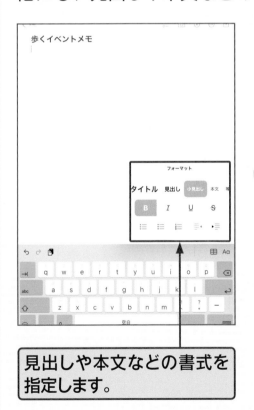

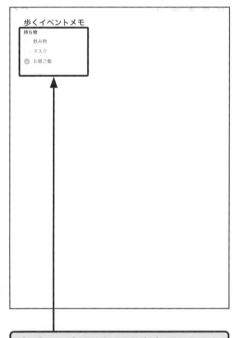

見出しや本文などの書式を指定します。

未完、完了を区別するチェックリストを作成します。

① 新しいメモを作成します

76ページの方法で、「メ
モ」を起動して、新しい
メモを追加します。

タイトルを**入力** し、

をタップ
して改行します。

Aɑ を**タップ** して、

小見出し を

タップ します。

② 小見出しを入力します

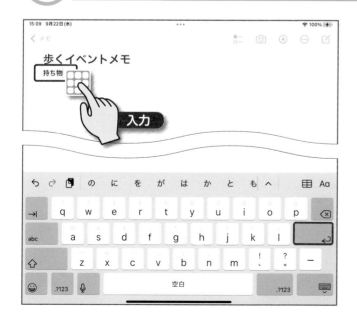

小見出しを

入力 します。

をタップ
して改行します。

次へ

③ チェックマークを付けます

 を

タップします。

🚩 **ポイント**

などは、画面の右上に表示
されている場合もあります。

行頭に ◯ が付きます。

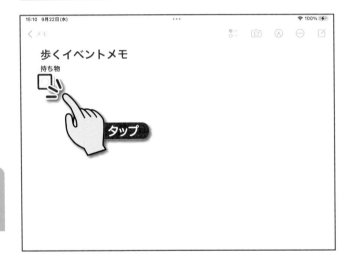

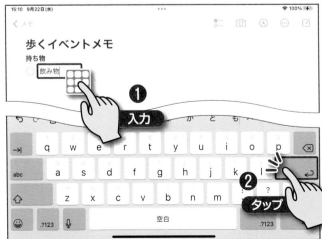

項目を

入力します。

を

タップして

改行します。

④ 続きの項目を入力します

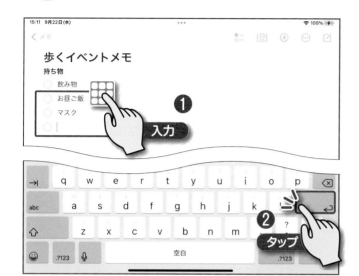

改行をしながら、項目を

入力  していきます。

最後の項目のあとで、

改行したあと、もう一度、

⏎をタップ

します。

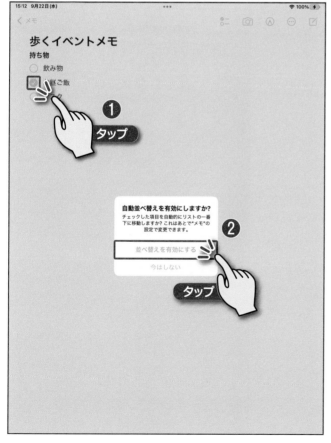

行頭の ◯ が消え、

チェックリストが作成さ

れました。

◯ を

タップ すると、

チェックが付きます。

左のメッセージが表示さ

れた場合、

並べ替えを有効にする を

タップ すると、

チェックを付けた項目が

下に移動します。

終わり

カレンダーに予定を設定しよう

「カレンダー」を使うとスケジュールを管理できます。通知設定をしておくと、予定を忘れてしまうことがないように、予定の時間や移動時間の前に、メッセージを表示できます。

「カレンダー」に予定を入れる

「カレンダー」に新しい予定を追加します。カレンダーは、「日」「週」「月」「年」単位で表示できます。

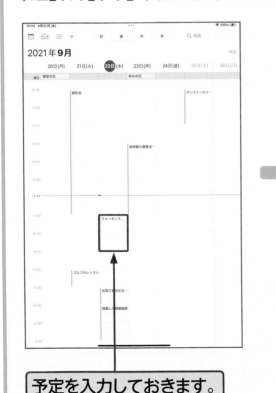

予定を入力しておきます。

設定をすれば、通知を受けることもできます。

① 予定を追加します

ホーム画面の「カレンダー」のアイコン 🟦 22 をタップ 👆 します。

ポイント

カレンダーの新機能に関する画面が表示されたら、 続ける を
タップします。

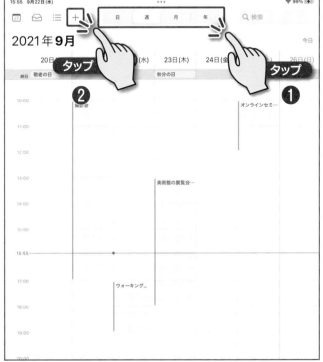

「カレンダー」が起動します。

| 日 | 週 | 月 | 年 | を

タップ 👆 すると、
表示方法が変わります。

＋ を

タップ 👆 します。

次へ

② 予定の詳細を入力します

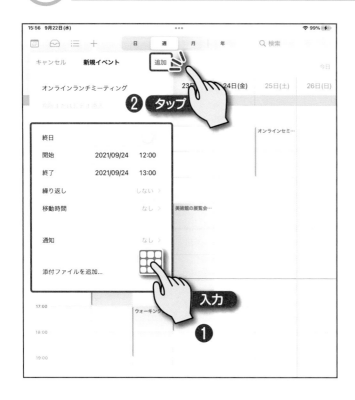

項目を**タップ**して、
予定の内容を

入力  します。

| 追加 | を

タップ します。

ポイント

通知を受けるには、通知 をタップして指定します。

③ 予定が追加されました

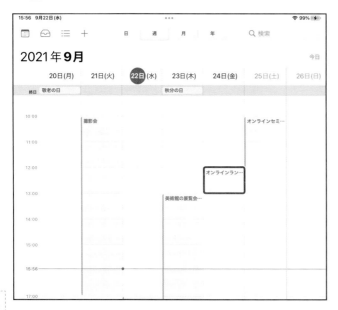

予定が追加されました。

④ 予定を変更します

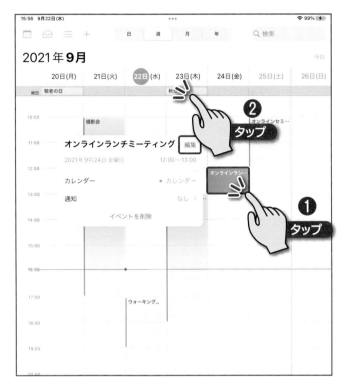

予定を

タップ👆します。

編集 を

タップ👆します。

予定を編集できます。
ここでは、終了時間を
変更しています。

完了 を

タップ👆すると、
変更を保存できます。

終わり

▶ FaceTime
▶ ビデオ電話
▶ 音声電話

FaceTimeで
ビデオ電話しよう

「FaceTime」を利用すれば、iPadやiPhoneなどのApple製品同士でビデオ電話ができます。Apple ID（280ページ参照）でサインインして、「FaceTime」を使う準備をしましょう。

「FaceTime」で通話する

「FaceTime」を利用して、ビデオ電話をかけてみましょう。ビデオ電話だけでなく、音声だけの電話をかけることもできます。

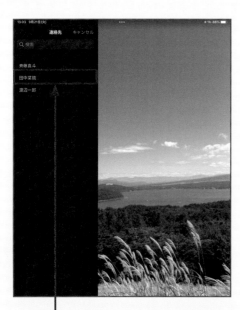 

「FaceTime」の設定をして、電話をかける相手を指定すると、

ビデオ電話や音声電話をかけたり、応答したりできます。

① 「FaceTime」を使う準備をします

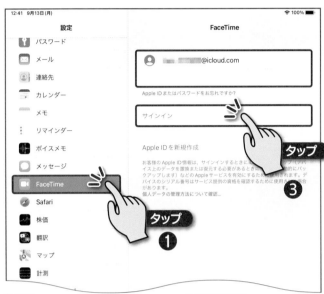

67ページの方法で
「設定」画面を表示し、

 FaceTime を

タップ 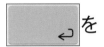 します。

Apple IDを入力して、

⏎ を

タップ します。

パスワードを入力し、

サインイン を

タップ します。

ポイント

認証が必要な場合、Apple ID
を作成したときに登録した番号
に確認用のコードが届きます。
コードを入力して進めます。

「FaceTime」の着信用の
連絡先情報が表示されま
す。

 次へ

第8章 便利なアプリを使おう

ホーム画面の
「FaceTime」のアイコン

を

タップ 🖐 します。

を

タップ 🖐 します。

ポイント

ビデオ電話をかけるときは、相手がApple IDに使用しているメールアドレスや電話番号を、あらかじめ自分の連絡先に登録しておくとよいでしょう。

③ ビデオ電話をかける相手を表示します

 を

タップ します。

④ ビデオ電話をかける相手を選びます

ビデオ電話を
かける相手を
タップ します。

次へ

 を

タップ します。

ポイント

音声電話をかけるには、📞を
タップします。

🎥 FaceTime を

タップ します。

ポイント

音声電話をかけるには、📞を
タップします。

⑥ 通話をします

電話がかかります。相手が応答すると、通話が始まります。

ポイント

通話中、前面と背面のカメラを切り替えるには、画面をタップして◙をタップします。すると、自分が見ている景色を相手に伝えられます。

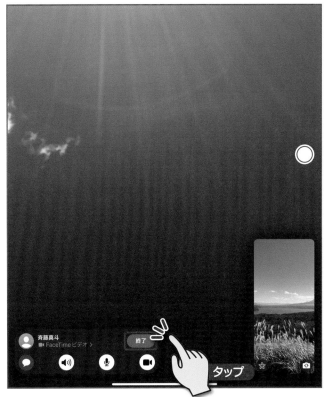

通話中は、相手の画像が中央に、自分の画像が画面の隅に表示されます。通話を終えるには、

画面を**タップ**して、

終了を

タップします。

終わり

Section

04

手軽にメモを書こう

▶ メモ
▶ スケッチ
▶ 消しゴム

メモには、イラストや図などを手描きで追加できます。ペンの種類や色を指定して、指などでメモしましょう。消しゴムを選べば、線を消すこともできます。

スケッチを作成する

手描きでメモを書く画面を表示して指でメモを書きます。そうすると、メモに手描きメモが追加されます。

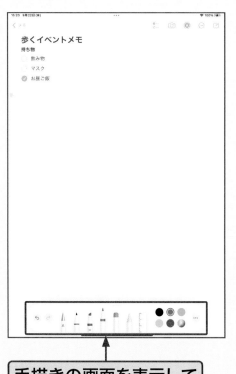

手描きの画面を表示してスケッチします。

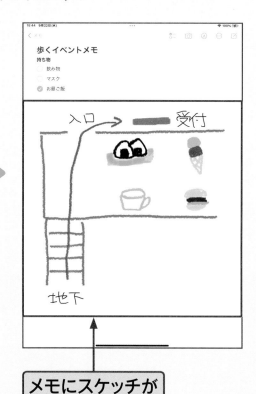

メモにスケッチが表示されます。

① 手書きのメモを作成します

67ページの方法で
メモを表示します。

 を

タップ します。

画面の下からペンの種類
や色を選び、

タップ します。

画面を**ドラッグ** して
線を描きます。

ポイント

ペンの種類の右側の消しゴム
をタップして、消したい線を
なぞると、線が消えます。

スケッチが追加されまし
た。

 を**タップ**
すると、元の画面に戻り
ます。

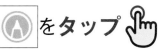

終わり

iPadにアプリを追加しよう

「App Store」には、iPadに入れて使用できるアプリがたくさん用意されています。「App Store」で、使いたいアプリを探して、自分のiPadにアプリを追加できます。

「App Store」からアプリを追加する

ここでは、乗換案内を調べる「乗換NAVITIME」という無料のアプリを追加します。追加したアプリを起動するには、ホーム画面に追加されるアイコンをタップします。

「App Store」で「乗換NAVITIME」というアプリを入手すると、

乗換ルートや時間、交通費などをかんたんに調べられます。

① 「App Store」を起動します

ホーム画面の
「App Store」の
アイコンを
タップ 🤏 します。

🚩 ポイント

「App Soreの新機能」のメッ
セージが表示された場合は、
続ける をタップします。

「App Store」が起動しま
す。

を
タップ 🤏 します。

次へ

② アプリを探します

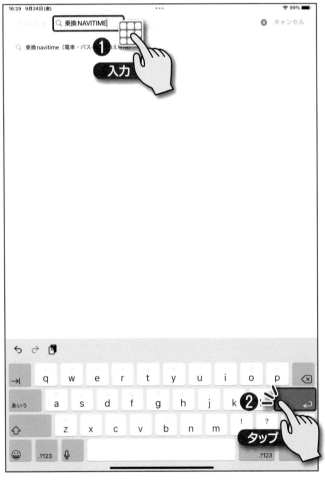

利用したいアプリを探します。

$\boxed{Q \text{ゲーム、App、ストーリー}}$に

「乗換NAVITIME」と

入力 🖐 して、

$\boxed{↵}$を

タップ 🖐 します。

🚩 ポイント

ここでは、「乗換NAVITIME」という乗換案内のアプリを探します。

アプリの検索結果が表示されました。

🚩 ポイント

有料のアプリを購入する場合は、表示されている価格をタップします。

③ アプリをインストールします

入手するアプリの

| 入手 | を

タップ します。

ポイント

Apple IDへのサインインを求められた場合は、パスワードを入力して進めます。

| インストール | を

タップ します。
インストールが
完了したら、

● に | 開く | が

表示されます。
ホームボタンを押すか、
画面を下から上に

スワイプ して
アプリを閉じます。

終わり

Section 06 ラジオを聴こう

▶ radiko
▶ アプリ
▶ ラジオ番組

「radiko」というアプリを使うと、iPadでラジオを聴くことができます。聴きたいラジオ局やラジオ番組を選択してラジオを聴いてみましょう。

「radiko」を利用する

「radiko」のアプリをインストールしてラジオを聴きます。「radiko」では、多くの番組を聴くことができます。また、1週間以内に放送された番組を後から聴くこともできます。

「radiko」をインストールしておきます。

ラジオ番組をタップすると、ラジオを聴くことができます。

① ラジオを聴きます

タップ

タップ

ニュース/天気/交通　評論家 荻上チキ・Session 荻上チキ/南部広美 15:30-17:50	☆
ニュース/天気/交通　アナウンサー 斉藤一美 ニュースワイドS… 斉藤一美, 西川文野 15:30-17:50	☆
トーク　アナウンサー うどうのらじお 有働由美子, 熊谷実帆 15:30-17:10	☆
株/投資　評論家 カブりつき・マーケット情… 坂本慎太郎, 大和一孝, 八木ひとみ 16:20-16:50	☆
音楽 RaNi Music♪Afternoon 15:00-17:00	☆

タップ

225ページの方法で、「radiko」のアプリをインストールしておきます。

をタップして、「radiko」を起動します。

radikoが起動します。画面右下の

をタップすると、画面が大きく表示されます。

現在放送中の番組を聴くには、

をタップし、

ライブをタップします。

聴きたい番組を

タップすると、ラジオが聴こえてきます。

ポイント

聴きたい番組を探すには、🔍 をタップして検索します。

終わり

YouTubeで
動画を見よう

▶ YouTube
▶ アプリ
▶ 動画

「YouTube」とは、世界最大規模の動画共有サイトです。iPadで「YouTube」の動画を見てみましょう。ここでは、「YouTube」のアプリを使います。

「YouTube」を利用する

225ページの方法で「YouTube」のアプリをインストールして、見たい動画を検索します。検索結果から見たい動画を選択して再生してみましょう。「Safari」のアプリで、YouTubeのページを開いて動画を見ることもできます。

「YouTube」をインストールしておきます。

見たい動画を選択して再生します。

① 動画を見ます

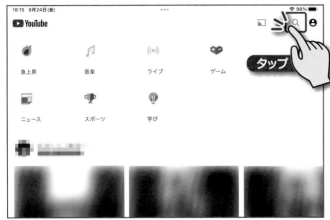

をタップして、「YouTube」を起動します。

🔍 を

タップします。

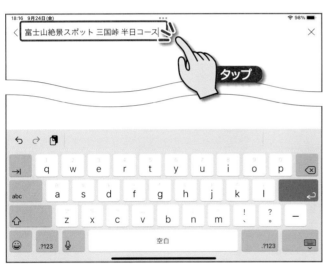

見たい動画に関する
検索キーワードを

入力し、

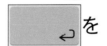 を

タップします。

検索結果が表示されます。見たい動画を

タップすると、
動画が再生されます。
画面を横にして動画を楽しみましょう。

終わり

▶ Amazon
▶ Kindle
▶ 電子書籍

Amazonで
電子書籍を買おう

Amazonとは、世界最大規模のオンラインショップです。
Amazonでは、紙の本以外にも電子書籍を購入することがで
きます。

「Kindle」で本を読む

Amazonで電子書籍を購入するには、Kindle版の書籍を購入
します。購入した電子書籍は、238ページで紹介する「Kindle」
アプリを使って読めます。

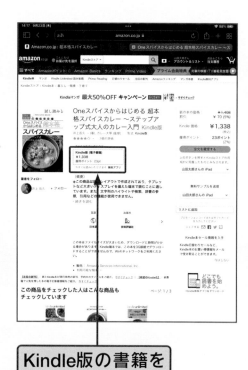

Amazonのサイトを
開きます。

Kindle版の書籍を
購入します。

① Amazonのページを開きます

239ページの方法で、「Kindle」アプリをインストールして、ログインしておきます。

99ページの方法で、Safariを起動します。「https://www.amazon.co.jp/」のWebページを開きます。

こんにちは, ログイン
アカウント&リスト ▾、

ログイン

をタップします。

続いて表示される画面でAmazonアカウントのメールアドレスやパスワード（248ページ参照）を入力してログインします。

② ログインできました

ログインを済ませると、アカウント名が表示されます。

③ 書籍を検索します

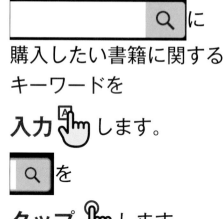

に購入したい書籍に関するキーワードを

入力 します。

を

タップ します。

④ 書籍を選びます

購入したい書籍のタイトルを

タップ します。

ポイント

Amazonでお買い物をするには、支払い方法を指定する必要があります。アカウント名をタップして「アカウントサービス」をタップし、「お客様の支払い方法」をタップして支払い方法を指定しておきましょう。支払い方法として、Amazonのギフト券を使用することもできます。

⑤ 書籍の形式を表示します

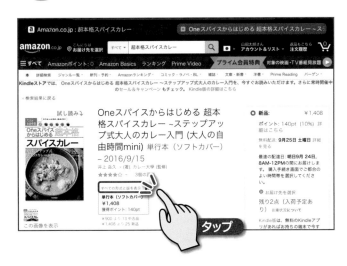

すべての形式と版を表示 を

タップ 🖐 します。

⑥ Kindle版を選択します

書籍の情報が表示されます。

Kindle版 (電子書籍)
(1) を

タップ 🖐 します。

書籍名を

タップ 🖐 します。

ポイント

書籍によっては、Kindle版がない場合もあります。

次へ

⑦ 注文内容を確認します

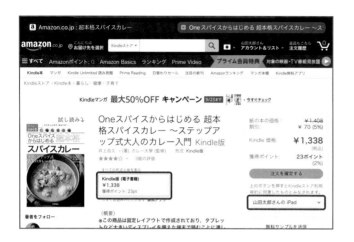

Kindle版の書籍が表示されていることを確認します。
注文内容と、電子書籍の配布先を確認します。

⑧ 注文を確定します

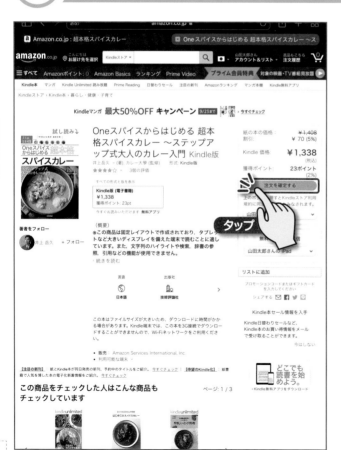

注文を確定します。

| 注文を確定する | を

タップ します。

⑨ 購入が完了します

次の画面が表示された場合は、支払い方法を選んで

タップ 🖑 します。

| 注文を確定 | を

タップ 🖑 します。

次の画面が表示された場合は、住所を

入力 🖑 して、

| 新しい住所を追加 | を

タップ 🖑 します。

購入できました。
画面の内容を確認します。
購入した電子書籍の読み方は次ページから解説します。

終わり

電子書籍を読んでみよう

- ▶ Amazon
- ▶ Kindle
- ▶ 電子書籍

Amazonで購入したKindle版の書籍をiPadで読むには、「Kindle」アプリを使います。「Kindle」アプリをインストールして電子書籍を読んでみましょう。

「Kindle」で本を読む

「Kindle」を起動して、Amazonで購入した電子書籍を読んでみましょう。ここでは、237ページで購入したKindle版の書籍を読みます。

> 「Kindle」アプリを
> インストールしておきます。

> 「Kindle」を起動して
> 読みたい本を選びます。

① 「Kindle」にログインします

225ページの方法で、「Kindle」のアプリをインストールしておきます。ホーム画面の「Kindle」のアイコン  を

タップ します。

メールアドレスまたは携帯電話番号 と

Amazonのパスワード に、

Amazonのアカウントとして登録したメールアドレスとパスワードを

入力 します。

ログイン を

タップ します。

「Kindle」が起動します。

次へ

② ライブラリを表示します

購入した本を確認します。

📖 ライブラリ

を

タップ 🤚 します。

③ 本を選択します

購入した本が表示されます。

読みたい本を

タップ 🤚 します。

④ 本が表示されます

本が表示されます。
本の画面で右から左（または左から右）に
スワイプします。

⑤ 次のページが表示されます

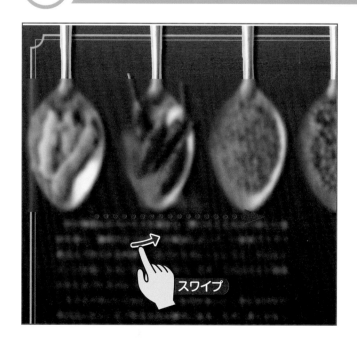

次のページが表示されます。
本の画面で左から右（または右から左）に
スワイプします。

次へ

⑥ 前のページが表示されます

前のページが表示されます。

⑦ 現在の位置を確認します

画面を

タップ 🖐 します。

現在の位置が表示されます。

▢− を

ドラッグ 🖐 して、

表示位置を変更することもできます。

🚩 **ポイント**

画面左上の ☰ をタップすると、目次が表示されます。目次の項目をタップしても、ページを切り替えられます。

便利なアプリを使おう

8 元の画面に戻ります

画面を

タップします。

∨ を

タップします。

9 元の画面に戻りました

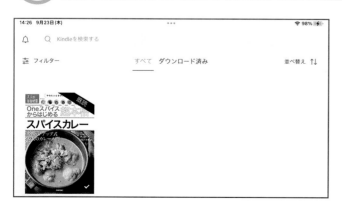

元の画面に戻りました。

終わり

ホーム画面のアプリを整理しよう

ホーム画面のアイコンは、自分がわかりやすいように整理できます。ホームページが複数ある場合は、他のページにアイコンを移動することもできます。

アイコンを整理する

ここでは、「乗換NAVITIME」のアイコンを他のホーム画面に移動します。アイコンをドラッグするだけで移動できます。

ここでは、「乗換NAVITIME」のアイコンを移動します。

「乗換NAVITIME」のアイコンが移動しました。

第**8**章 便利なアプリを使おう

① アプリのアイコンを移動します

移動するアプリの

アイコン 乗換NAVITIME を

長押し します。

ホーム画面を編集 を

タップ します。

アイコンが波打ちます。
アイコンを移動したい

場所に**ドラッグ**

します。
他のホーム画面に移動するには、画面の端に

向かって**ドラッグ**

します。

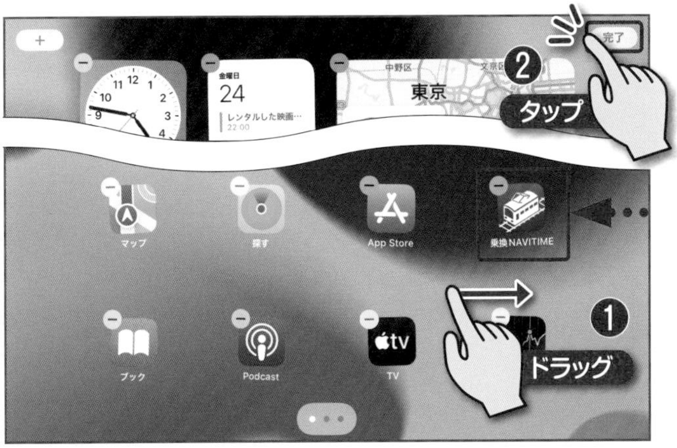

移動先までそのまま

ドラッグ します。

完了 を**タップ**

すると、
アイコンの動きが止まります。

終わり

アプリを削除しよう

インストールしたアプリはあとから削除できます。不要なアプリは、削除して整理しましょう。削除したアプリを再インストールする方法は、250ページで紹介しています。

アプリを削除する

ホーム画面からアプリを削除できます。ここでは、「乗換NAVITIME」を削除します。

ここでは、「乗換NAVITIME」を削除します。

「乗換NAVITIME」が削除されました。

① アプリを削除します

削除するアプリ ![乗換NAVITIME] を

長押し 👆 します。

App を削除	⊖

をタップ 👆 します。

🚩 ポイント

このあと、確認メッセージが
表示されます。削除する場合
は Appを削除 削除 の順にタップ
します。

アプリが削除されます。

🚩 ポイント

iPad Proでは、アプリの移動
や削除をした後は、画面右上
の 終了 をタップします。

終わり

Amazonのアカウントを作りたい

Amazonのアカウントは、Amazonのホームページから取得できます。

Amazonでお買い物をするには、Amazonのアカウント使ってログインします。Amazonのアカウントは、無料で取得できます。自分のメールアドレスやパスワードなどを指定します。画面の指示に従って本人確認を済ませるとアカウントを取得できます。

1

233ページの方法で、Amazonのホームページを表示します。

こんにちは, ログイン
アカウント＆リスト ▾ を

タップ します。

新規登録はこちら を

タップ します。続いて表示される画面の指示に従ってアカウントを取得します。

2

Amazonのホームページにログインしているときは、右上にアカウント名が表示されます。

Q iPadでLINEは使えないの?

A 「LINE」のアプリをインストールすると、LINEを使用できます。

iPadでLINEを使うには、「LINE」アプリを使います。ここでは、スマホで使用しているLINEのアカウントをiPadで見る場合の方法を紹介します。iPadに225ページの方法で「LINE」アプリをインストールしておきます。

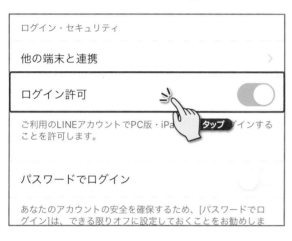

1

スマホの「LINE」を起動し、「設定」―「アカウント」を**タップ**し、

 を にして

おきます。iPadでの「LINE」のログイン方法によっては、

パスワードでログイン の設定が必要な場合があります。

2

続いて、iPadで「LINE」アプリを起動してログインします。メールアドレスでログインする場合は、

その他のログイン方法 >、

メールアドレスでログイン の順に

タップ します。

ログインが完了すると、左側のアイコンからトークなどを選択できます。

Q アプリをアップデート、再インストールしたい

A 「App Store」でアプリのアップデートや、購入済みのアプリを再インストールができます。

アプリが新しいバージョンに更新されると、「App Store」のアイコンに印が表示されます。「App Store」から更新できます。なお、アプリの自動更新がオンになっているときは、アプリは自動的に更新されます。

1

アプリを更新するには、225ページの方法で「App Store」アプリを起動します。

 をタップ🖑します。

アップデート をタップ🖑します。

2

削除したアプリを再インストールするには、手順 1 の画面で

購入済み をタップ🖑します。

入手したアプリの一覧から再インストールするアプリの

🔽 をタップ🖑します。

iPadと他の機器をつなげて便利に使おう

この章でできること

▶ iPadに機器を接続する

▶ iPadに写真を取り込む

▶ Apple Pencilを使う準備をする

▶ Apple PencilでiPadを操作する

▶ Apple Pencilでメモを書く

設定編

Section
01

第9章 iPadと他の機器をつなげて便利に使おう

Bluetooth機能の
使い方を知ろう

▶ Bluetooth
▶ 無線
▶ 周辺機器

Bluetoothとは、無線（ワイヤレス）で機器同士を繋げてデータなどをやり取りする無線通信の規格のひとつです。iPadにBluetooth対応の機器を接続する方法を知りましょう。

Bluetooth対応機器を接続する

iPadでは、iPadに対応しているBluetooth対応の機器を接続して利用できます。たとえば、キーボードやイヤホンなどの機器を接続して利用できます。

Bluetoothの機能を使う
準備をします。

ペアリングという設定をすると、利用する準備が整います。

第9章 iPadと他の機器をつなげて便利に使おう

① Bluetoothの機能を確認します

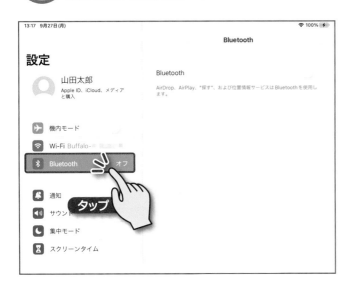

67ページの方法で
「設定」を開きます。

を

タップ します。

② Bluetoothの機能をオンにします

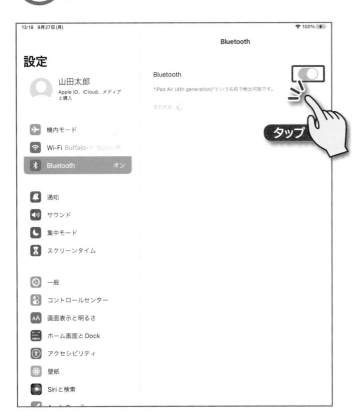

を

タップ して

にします。

Bluetoothの機能がオン
になりました。

Bluetooth対応の機器を利用
するには、ペアリングという
設定が必要です（254ページ
参照）。

終わり

253

設定編

Section
02

キーボードとiPadを接続しよう

▶ Bluetooth
▶ キーボード
▶ ペアリング

iPadに対応しているBluetooth対応のキーボードをiPadで使用できるようにします。Bluetoothの機器を使うには、最初にペアリングという設定が必要です。

キーボードを使う準備をする

Bluetooth対応の機器を使用するには、iPadが、その機器を認識して使えるようにするために、ペアリングという設定をします。

ペアリングという設定をします。

Bluetooth対応の機器が認識されます。

① ペアリングをします

253ページの方法で、Bluetoothの「設定」画面を開いておきます。

Bluetooth対応機器をペアリングモードにします。iPadに、使用する機器の項目が表示されます。使用する機器の項目をタップします。

ポイント

ペアリングモードにする方法は、使用する機器によって異なります。使用する機器の操作説明書をご確認ください。

Bluetooth対応の機器を使う準備ができました。1度ペアリングをすると、次回からはペアリングをする必要はありません。

終わり

デジタルカメラの写真を
iPadに取り込もう

デジタルカメラで撮影した写真をiPadで楽しむには、iPad
に写真を撮り込みます。ここでは、SDカードカメラリーダー
を使用して取り込む方法を紹介します。

▶ デジタルカメラ
▶ 写真
▶ 取り込み

 ## デジタルカメラの写真を取り込むには

SDカードカメラリーダーを使用して、デジタルカメラの写真
をiPadに取り込みます。「SDカードカメラリーダー」は、
Apple Online Store (https://www.apple.com/jp/store)
で購入できます。

デジタルカメラの写真から
読み込む写真を選択します。

選択した写真が取り込まれ
ます。

① SDカードカメラリーダーとiPadを接続します

デジタルカメラから取り出したSDカードをSDカードカメラリーダーにセットします。SDカードカメラリーダーとiPadを接続します。

ポイント

SDカードが、microSDカードサイズの場合は、SDカード変換アダプタを使用すると、SDカードのように使用できます。

② 「写真」を起動します

「写真」のアプリを起動します。
169ページの方法で、写真の分類画面を開きます。

デバイス に
表示されている項目を
タップ 🖐 します。

次へ

デジタルカメラの写真の
一覧が表示されます。
読み込みたい写真を

タップ して
選択します。

読み込む を**タップ**
して選択します。
表示される

選択項目を読み込む を

タップ して
選択します。

④ 取り込んだ写真を表示します

写真を読み込みが完了
し、メッセージが表示さ
れます。
SDカードに写真を残す
場合は、

残す を

タップ して
選択します。

169ページの方法で写
真の分類画面を表示しま
す。

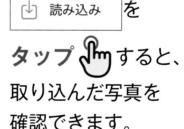

読み込み を

タップ すると、
取り込んだ写真を
確認できます。

ポイント

ライブラリ にも、取り込んだ
写真が表示されます。

終わり

設定編

Section

04

▶ Apple Pencil
▶ 第1世代
▶ 第2世代

Apple Pencilと
iPadの対応を確認しよう

Apple Pencilとは、iPadを操作できるペン型の機器です。Apple Pencilを使うと、ボールペンを使って紙に文字や絵を描くような感覚で、メモを残すこともできます。

Apple Pencilについて

Apple Pencilを使うと、ペンを使ってiPadの操作をしたり、文字を書いたりイラストを描いたりすることができます。筆圧を調整して濃い線や薄い線を描いたりできますので、繊細なタッチのイラストなども描くことができます。

https://www.apple.com/jp/apple-pencil/

① Apple Pencilの種類について

Apple Pencilには、第1世代と第2世代という種類があります。iPadの種類によって、利用できるApple Pencilの種類は異なります。

●Apple Pencil（第1世代）に対応するiPad

- iPad（第6世代、第7世代、第8世代、第9世代）
- iPad Air（第3世代）
- iPad mini（第5世代）
- 12.9インチiPad Pro（第1世代と第2世代）
- 10.5インチiPad Pro
- 9.7インチiPad Pro

●Apple Pencil（第2世代）に対応するiPad

- iPad mini（第6世代）
- 12.9インチiPad Pro（第3世代、第4世代、第5世代）
- 11インチiPad Pro（第1世代、第2世代、第3世代）
- iPad Air（第4世代）

 コラム　Apple Pencilを購入するには

Apple Pencilを実際に見て購入するには、Appleのストア（Appleの店舗）やApple製品取扱店などを利用する方法があります。また、インターネットで購入する場合、Appleのオンラインストア（https://www.apple.com/jp/store）や、大手のショッピングサイトなどでも購入できます。お使いのiPadの種類によって、使用できるApple Pencilの種類は異なります。間違えないように注意しましょう。

終わり

Apple Pencilを 充電しよう

Apple Pencilを使うには、Apple Pencilを充電します。また、Apple Pencilのバッテリーの残量を確認する方法を知っておきましょう。

Apple Pencilを充電する

Apple Pencilを使う前に充電をしましょう。Bluetoothをオンにしておきます。

● 第2世代の場合

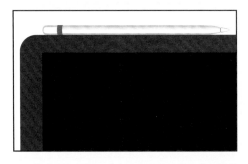

Apple PencilをiPadの右側面にある磁気コネクタに接続します。

● 第1世代の場合

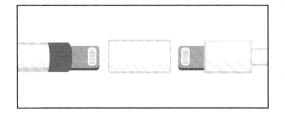

Apple Pencilのキャップを外してiPadのLightningコネクタに接続します。Apple Pencil充電アダプタを使ってUSB経由で充電することもできます。

🚩 ポイント

Apple Pencilを初めてiPadに接続した時、「ようこそApple Pencilへ」の画面が表示された場合は、画面の内容を確認しながら、をタップして画面を進めます。

① 「今日の表示」画面を表示します

左端のホーム画面で左か
ら右に向かって

スワイプ 🖐️ します。

今日の表示の画面に切り
替えます（61ページ参
照）。

② バッテリー残量を確認します

Apple Pencilの
バッテリー残量が
表示されます。

終わり

Apple Pencilを iPadと接続しよう

▶ Apple Pencil
▶ Bluetooth
▶ ペアリング

Apple Pencilをペアリングして使う準備をしましょう。
Apple PencilをiPadに接続するだけで、かんたんに設定できます。

 ## Apple Pencilを使う準備をする

Apple Pencilをペアリングします。Bluetoothをオンにしておきます。1度ペアリングをすると、次回以降ペアリングの操作は不要です。ただし、iPadを再起動した場合などでペアリングが解除された場合は、再度、ペアリングの操作を行います。

● 第2世代の場合

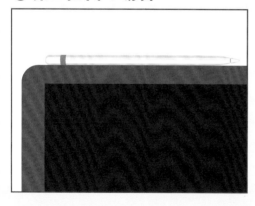

Apple PencilをiPadの右側面にある磁気コネクタに接続します。

● 第1世代の場合

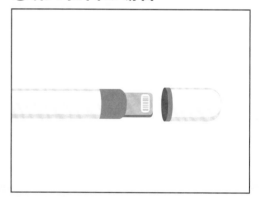

Apple Pencilのキャップを外してiPadのLightningコネクタに接続します。

① ペアリングします

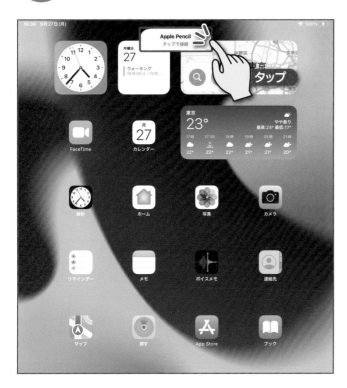

前のページの方法で
Apple PencilとiPadを
接続します。

 が表示され

た場合は、 **Apple Pencil タップで接続**

をタップ します。

🚩 ポイント

ペアリングのメッセージが表
示された場合は、「ペアリン
グ」をタップします。

② Bluetoothの設定を確認します

253ページの方法で、
Bluetoothの「設定」画面
を表示します。
Apple Pencilの項目を
確認します。

終わり

Apple Pencilで
iPadを操作しよう

Apple Pencilを使うと、文字やイラストを描く以外にも、iPadを操作することもできます。指の代わりにペンを使って操作してみましょう。

第9章

iPadと他の機器をつなげて便利に使おう

 ## Apple Pencilでできること

指先を使ってiPadを操作する代わりに、Apple Pencilのペン先を使ってiPadを操作してみましょう。

Apple Pencilを使ってアプリのアイコンをタップします。

アプリが起動しました。

① Apple PencilでiPadを操作します

ホーム画面を開いておきます。
Apple Pencilのペン先でアプリのアイコンを
タップ します。
ここでは、「マップ」を
タップ します。

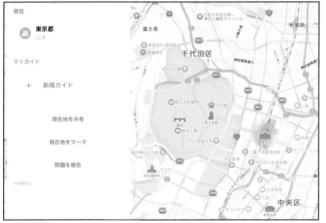

アプリが起動しました。

Apple Pencilのペン先で画面を**ドラッグ**すると、マップの表示位置が変わります。

終わり

設定編

Section

08

Apple Pencilで手書きのメモを取ろう

▶ Apple Pencil
▶ メモ
▶ 手書き

Apple Pencilを使って手書きのメモを書いてみましょう。ここでは、「メモ」アプリを使います。「メモ」アプリを起動して、文字を書きます。

手書きの文字を書く

鉛筆で紙に文字を書くように、Apple Pencilで文字を書くことができます。また、手書きで書いた文字をキーボードから入力した文字に自動的に変換することもできます。

「メモ」アプリを起動します。

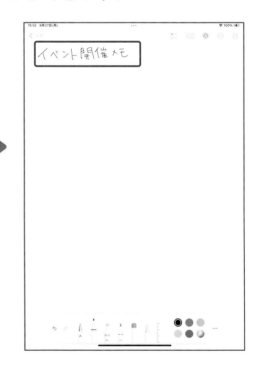

メモを書きます。

① 手書きの文字を書きます

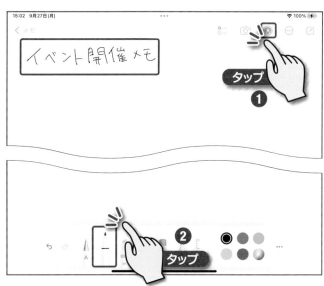

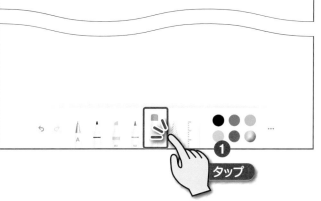

76ページの方法で、「メモ」アプリを起動しておきます。

をタップします。ペンの種類を

タップし、

Apple Pencilで文字を書きます。

消しゴムを

タップします。

ペンが消しゴムに変わり

ドラッグすると、

文字を消せます。

ポイント

ペンの種類でをタップし、Apple Pencilで文字を書くと、文字がキーボードから入力した文字に自動的に変換されて イベント のように表示されます。

終わり

Apple Pencilで絵を描こう

▶ Apple Pencil
▶ メモ
▶ 手書き

Apple Pencilを使って図形やイラストなどを描いてみましょう。ここでは、「メモ」アプリを使います。「メモ」アプリを起動して、ペンの種類や色を選んで描きます。

 ## 図やイラストを書く

Apple Pencilで図形や絵を描いてみましょう。

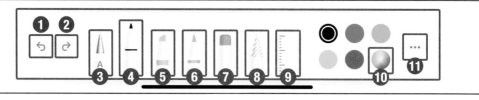

❶操作をキャンセルして元に戻します。

❷操作を元に戻した後に、戻す前の状態にします。

❸ここをタップしてApple Pencilで手書きの文字を書くと、キーボードから入力した文字に変換されます。

❹ボールペンのような細い線を描きます。

❺蛍光ペンのような太い線を描きます。

❻色鉛筆のような線を描きます。

❼文字や絵を消します。

❽ここをタップして文字やイラストを囲むようにドラッグすると、範囲が選択できます。選択した範囲をドラッグして移動したりできます。

❾定規を表示してまっすぐの線を描く場合などに使います。

❿色を選択します。右下の○をタップすると、色の一覧が表示されて線の色を選択できます。

⓫Apple Pencilの設定を変更したりするときに使います。

① ペンを選択します

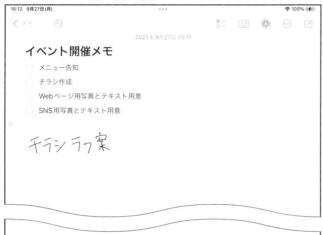

タップ

76ページの方法で、「メモ」アプリを起動しておきます。
ペンの種類を選んで

タップ します。ペンを**タップ** すると、線の濃さなどを選択できます。

② 線が表示されます

線を描きます。

ポイント

Apple Pencil第2世代では、Apple Pencilをダブルタップ（トントンと2回連続してたたく）すると、ペンと消しゴムを切り替えられます。

次へ

③ 図形を描きます

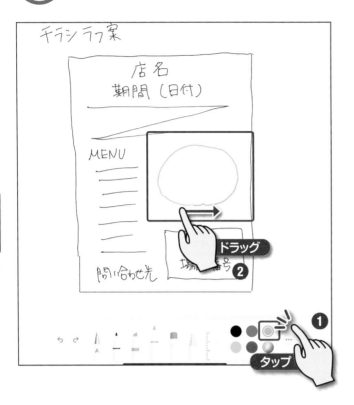

271ページの方法で、ペンの種類や線の濃さを選択します。

色を選んで**タップ**します。

画面を**ドラッグ**して、一筆でかんたんな図形や線を描き、Apple Pencilのペン先を画面に置いたままにします。

④ 図形が描けました

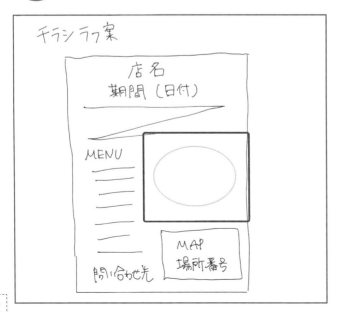

綺麗な形の図形や直線に変換されます。

ポイント

線は直線に変換されます。また、変換される図形の種類は、四角形や丸、三角、星、ハートなどです。

⑤ 消しゴムに切り替えます

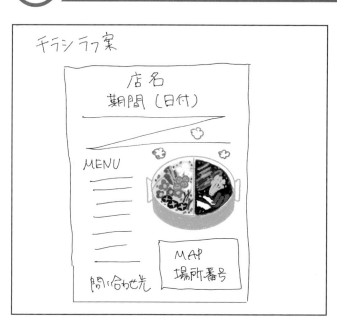

絵やイラストを描いておきます。
269ページの方法で、消しゴムを選択します。

⑥ 文字や線を消します

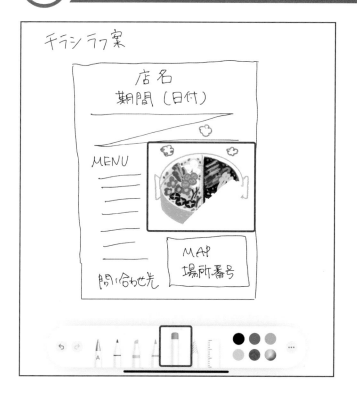

消しゴムが選択されます。
Apple Pencilで消したいところを

ドラッグするると、
線が消えます。

終わり

機器との接続が切れてしまったときはどうする?

 Bluetooth機器が繋がらない場合は、「設定」画面で接続状態を確認します。

Bluetooth機器が繋がらない場合は、Bluetooth機器の電源が入っているかを確認します。電源が入っているのに繋がらない場合は、接続状況を確認しましょう。

1

253ページの方法でBluetoothの「設定」画面を開きます。
接続できていない機器の

未接続 ⓘ を**タップ** します。

2

接続済み ⓘ に変わります。
Bluetooth機器を使う準備ができました。

ⓘ を**タップ** するると、接続を解除したりできます。

iPadを活用するための設定をしよう

この章でできること

▶ Wi-Fi（無線LAN）の設定をする

▶ Apple IDを新規に作成する

- ▶ Wi-Fi
- ▶ ネットワーク名
- ▶ パスワード

Wi-Fi（無線LAN）の設定をしよう

iPadをWi-Fiに接続する方法を紹介します。接続するWi-Fiのネットワーク名やパスワードを事前に確認しておきます。Wi-Fiに接続しているか確認する方法も知りましょう。

① Wi-Fiの情報を確認します

使用する無線LANルーターのネットワーク名（SSID）やパスワード（暗号化キー）を確認しておきます。

ポイント

ネットワーク名（SSID）やパスワード（暗号化キー）の詳細は、使用している無線LANルーターの取り扱い説明書を参照してください。なお、外出先のカフェなどでWi-Fiを使用する場合、お店の人などに、Wi-Fi接続に必要な情報を確認しておきましょう。

② Wi-Fiをオンにします

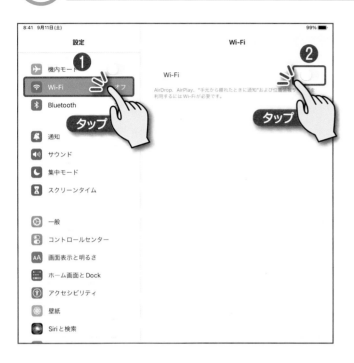

67ページの方法で、「設定」画面を表示します。

 を

タップ します。

 を

タップ して にします。

③ ネットワーク名を選択します

Wi-Fiのネットワークが自動的に検索されます。ネットワークのネットワーク名（SSID）を

タップ して選択します。

次へ

④ パスワードを入力します

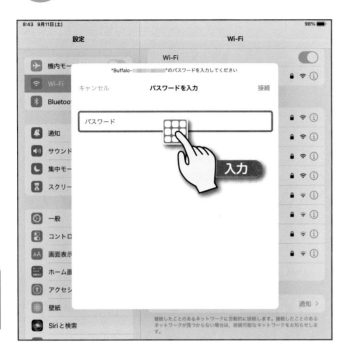

Wi-Fiに接続するための
パスワード
（暗号化キー）を

入力  します。

⑤ Wi-Fiに接続します

接続 を

タップ します。

⑥ Wi-Fiの設定が完了します

Wi-Fiの設定が完了します。

ホームボタンを押すか、画面を下から上に

スワイプして、

「設定」画面を閉じます。

⑦ Wi-Fiの接続を確認します

ホーム画面に、Wi-Fiに接続されていることを表すマークが表示されます。

ポイント

Wi-Fiのオン／オフは、コントロールセンターの🛜をタップして切り替えることもできます。

Apple IDを新規に設定しよう

- ▶ Apple ID
- ▶ iCloudメール
- ▶ サインイン

Apple IDとは、Apple社のさまざまなサービスを受けるために必要なアカウントです。無料で取得することができます。ここでは、iPadからApple IDを取得する方法を紹介します。

① Apple IDを新規に取得します

67ページの方法で「設定」画面を表示します。

を

タップ🫳します。

Apple IDをお持ちでないか忘れた場合 を

タップ🫳します。
続いて、

Apple IDを作成 を

タップ🫳します。

iPadを活用するための設定をしよう

② 名前と生年月日を設定します

姓名を
入力 します。

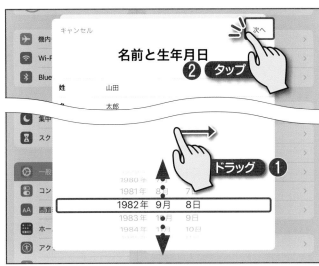

生年月日を**タップ**
して、年月日を
ドラッグ して
指定します。

次へ を
タップ します。

③ iCloudメールを取得します

メールアドレスを持っていない場合 を

タップ します。
続いて、

iCloudメールアドレスを入手する を

タップ します。

次へ

iPadを活用するための設定をしよう

④ メールアドレスを指定します

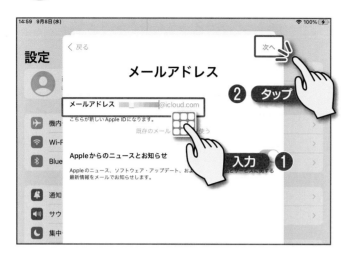

iCloudメールで使用する
メールアドレスを

入力 します。

次へ を

タップ します。

左のような画面が
表示されたら、
アドレスを確認し、

メールアドレスを作成 を

タップ します。

⑤ パスワードを指定します

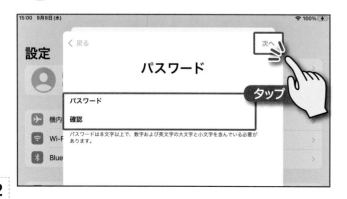

パスワードを設定しま
す。

次へ を

タップ します。

6 本人確認のための情報を指定します

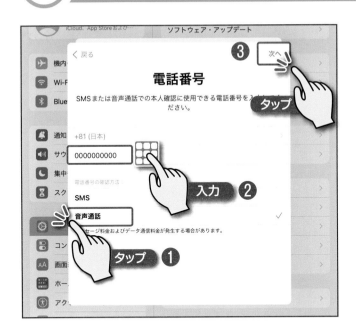

音声通話 または

SMS を

タップ して、
本人確認のコードを
受ける電話番号を

入力 します。

次へ を

タップ します。

電話、またはSNSで
届いたコードを

入力 します。

💡 コラム 本人確認のSMSを受け取る

本人確認に使う電話番号は、自分の電話番号、またはSMS（ショートメッセージサービス）を受信できる電話番号を指定します。iPadのさまざまな設定を変更するときに本人確認が求められる場合は、ここで指定した番号に確認コードが伝えられます。設定変更時に確実に確認コードを受けられるように自分の電話番号を指定してください。

次へ

⑦ 利用規約を確認します

利用規約を確認します。

同意する を

タップ 🖐 します。

ポイント

このあと、確認メッセージが
表示されたら、同意するをタッ
プします。

⑧ パスコードを入力します

左のような画面が表示さ
れたら、32ページで設
定したパスコードを

入力 🖐 します。

iPadを活用するための設定をしよう

⑨ iCloudと結合するか指定します

iCloudというネット上の
スペースを利用してカレ
ンダーなどのデータを共
有するか指定します。
ここでは、

結合しない を

タップ します。

⑩ Apple IDが作成できました

Apple IDが作成できま
した。

Apple IDに登録したメールア
ドレスとパスワードは、忘れな
いようにしましょう。

終わり

Index

著者

門脇香奈子（かどわきかなこ）

本文デザイン

リンクアップ

本文DTP

技術評論社販売促進部

本文イラスト

イラスト工房（株式会社アット）

装丁

田邉恵里香

編集

伊藤鮎

技術評論社ホームページ
URL　http://book.gihyo.jp

問い合わせについて

本書に関するご質問については、本書に記載されている内容に関するもののみとさせていただきます。本書の内容と関係のないご質問につきましては、一切お答えできませんので、あらかじめご了承ください。また、電話でのご質問は受け付けておりませんので、必ずFAXか書面にて下記までお送りください。

なお、ご質問の際には、必ず以下の項目を明記していただきますよう、お願いいたします。

1　お名前
2　返信先の住所またはFAX番号
3　書名
4　本書の該当ページ
5　ご使用のOSのバージョン
6　ご質問内容

FAX

1　お名前

技術　太郎

2　返信先の住所または FAX 番号

03-XXXX-XXXX

3　書名

今すぐ使えるかんたん
ぜったいデキます！
iPad 超入門 [改訂4版]

4　本書の該当ページ

133ページ

5　ご使用の OS のバージョン

iPad OS 15.1

6　ご質問内容

メッセージが
表示されない

問い合わせ先

〒162-0846 新宿区市谷左内町21-13
株式会社技術評論社 書籍編集部
「今すぐ使えるかんたん　ぜったいデキます！
iPad 超入門 [改訂4版]」質問係
FAX.03-3513-6167
URL：https://book.gihyo.jp/116

なお、ご質問の際に記載いただいた個人情報は、ご質問の返答以外の目的には使用いたしません。また、ご質問の返答後は速やかに破棄させていただきます。

今すぐ使えるかんたん　ぜったいデキます！

iPad 超入門 [改訂4版]

2015年12月25日　初　版　第1刷発行
2022年 2月 8日　第4版　第1刷発行

著　者　門脇香奈子
発行者　片岡　巌
発行所　株式会社技術評論社
　　　　東京都新宿区市谷左内町21-13
　　　　電話　03-3513-6150　販売促進部
　　　　　　　03-3513-6160　書籍編集部
印刷／製本　大日本印刷株式会社

定価はカバーに表示してあります。

ISBN978-4-297-12551-6　C3055
Printed in Japan